Opere di
Italo Calvino

Italo Calvino

LA GIORNATA
D'UNO SCRUTATORE

Presentazione dell'autore

OSCAR MONDADORI

I edizione Oscar opere di Italo Calvino febbraio 1994

ISBN 978-88-04-37989-8

Questo volume è stato stampato
presso Mondadori Printing S.p.A.
Stabilimento NSM - Cles (TN)
Stampato in Italia. Printed in Italy

A questa edizione ha collaborato Luca Baranelli

Anno 2010 - Ristampa   22 23 24 25 26 27 28

www.librimondadori.it

Presentazione

In occasione dell'uscita presso l'editore Einaudi della Giornata d'uno scrutatore *(febbraio 1963), Calvino scrisse il testo
di una presentazione del libro, rimasta sostanzialmente inedita,
che viene qui pubblicata per la prima volta nella stesura integrale. La domanda iniziale e i primi due capoversi apparvero
sul «Corriere della sera» del 10 marzo 1963 con il titolo* Una
domanda a Calvino.

– Il suo nuovo libro *La giornata d'uno scrutatore* tratta di
un tema contemporaneo, ed è un racconto intessuto di
riflessioni che toccano la politica, la filosofia, la religione. Considera questo libro come una svolta rispetto ad
altri suoi così diversi, mossi da una immaginazione libe-
ramente fantasiosa, come *Il visconte dimezzato, Il barone
rampante, Il cavaliere inesistente*? E se è una svolta, da che
cosa è stata determinata?

– Non è una svolta, in quanto il mio lavoro di rappre-
sentazione e commento della realtà contemporanea non
è cominciato oggi. *La speculazione edilizia* è un breve romanzo che ho scritto nel 1957 e che tenta – anch'esso
partendo dall'esperienza autobiografica appena defor-
mata – una definizione dei nostri tempi. *La nuvola di
smog* che ho scritto nel 1958 si situa pure su questa linea.
Avevo in animo, allora, di fare una specie di ciclo che

avrebbe potuto intitolarsi *A metà del secolo*, insomma di storie degli anni '50, a segnare un trapasso d'epoca che stiamo ancora vivendo. *La giornata d'uno scrutatore* era appunto uno dei racconti di questa serie. È all'interno di questa stessa direzione (nella quale credo che continuerò a lavorare ancora parecchio) che si può parlare d'una svolta o meglio di un approfondimento. I temi che tocco con *La giornata d'uno scrutatore*, quello della infelicità di natura, del dolore, la responsabilità della procreazione, non avevo mai osato sfiorarli prima d'ora. Non dico ora d'aver fatto più che sfiorali; ma già l'ammettere la loro esistenza, il sapere che si deve tenerne conto, cambia molte cose.

Quanto alle storie avventuroso-fantastiche, non mi pongo il problema se continuare o meno il ciclo, perché ogni storia nasce da una specie di groppo lirico-morale che si forma a poco a poco e matura e s'impone. Si capisce che poi c'è anche la parte del divertimento, del gioco, del meccanismo. Ma questo groppo iniziale è un elemento che bisogna che si formi da sé; le intenzioni e la volontà contano poco. Non che questo valga solo per le storie fantastiche; vale per tutti i nuclei poetici d'ogni opera narrativa, anche realistica, anche autobiografica, ed è ciò che decide, nel mare delle cose che si possono scrivere, quelle che è impossibile non scrivere.

– È un racconto non molto lungo, e in cui non succedono molte cose; è tenuto su più che altro dalle riflessioni del protagonista: un cittadino cui durante le elezioni (siamo nel 1953) è toccato il compito di fare lo «scrutatore» in una sezione elettorale che si trova all'interno del «Cottolengo» di Torino. Il racconto segue la sua giornata e s'intitola appunto *La giornata d'uno scrutatore*. È un racconto ma nello stesso tempo una specie di *reportage* sulle elezioni al Cottolengo, e di *pamphlet* contro uno degli aspetti più assurdi della nostra democrazia, e anche di meditazione filosofica su che cosa significa il far votare i deficienti e i paralitici, su quanto in ciò si rifletta la sfida alla storia d'ogni concezione del mondo che tiene la storia per cosa vana; ed anche un'immagine inconsueta dell'Italia, e un incubo del futuro atomico del genere umano; ma, soprattutto, è una meditazione su se stesso del protagonista (un intellettuale comunista), una specie di *Pilgrim's Progress* d'uno storicista che vede a un tratto il mondo trasformato in un immenso «Cottolengo» e che vuole salvare le ragioni dell'operare storico insieme ad altre ragioni, appena intuite in quella sua giornata, del fondo segreto della persona umana...

No, per poco che cominci a spiegare e a commentare quello che ho scritto, dico delle banalità... Insomma, tutto quel che mi sentivo di dire è nel racconto, ogni parola in più già comincia a tradirlo. Dirò soltanto che lo scrutatore arriva alla fine della sua giornata in qualche modo diverso da com'era al mattino; e anch'io, per riuscire a scrivere questo racconto, ho dovuto in qualche modo cambiare.

– Posso dire che, per scrivere una cosa così breve, ci ho messo dieci anni, più di quanto avessi impiegato per ogni altro mio lavoro. La prima idea di questo racconto mi venne proprio il 7 giugno 1953. Fui al Cottolengo durante le elezioni per una decina di minuti. No, non ero scrutatore, ero candidato del Partito Comunista (candidato per far numero nella lista, naturalmente) e come candidato facevo il giro dei seggi dove i rappresentanti di lista chiedevano l'aiuto del partito per delle contestazioni da risolvere. Così assistetti a una discussione in un seggio elettorale del Cottolengo tra democristiani e comunisti sul tipo di quella che è al centro del mio racconto (anzi, uguale, almeno in alcune battute). E fu lì che mi venne l'idea del racconto, anzi il suo disegno ideale era già allora quasi compiuto come l'ho scritto adesso: la storia d'uno scrutatore comunista che si trova lì, ecc. Provai a scriverlo; ma non ci riuscivo. Al Cottolengo ero

stato pochi minuti appena: le immagini che ne avevo ri-
portato erano troppa poca cosa per quelle che ci si aspetta dal tema. (Anche se non volevo né ho voluto poi in-
dulgere a scene d'«effetto»). Sui casi più clamorosi delle
varie elezioni al Cottolengo esisteva una vasta documentazione giornalistica; ma mi sarebbe potuta servire solo
per una fredda cronaca indiretta. Pensai che avrei potuto scrivere un racconto solo se avessi vissuto veramente
l'esperienza dello scrutatore che assiste a tutto lo svolgi-
mento delle elezioni lì dentro. L'occasione di farmi no-
minare scrutatore al Cottolengo mi si presentò con le
amministrative del '61. Passai al Cottolengo quasi due
giorni e fui anche tra gli scrutatori che vanno a raccogliere il voto nelle corsie. Il risultato fu che restai completamente impedito dallo scrivere per molti mesi: le immagini che avevo negli occhi, di infelici senza capacità di intendere né di parlare né di muoversi, per i quali si alle-
stiva la commedia di un voto delegato attraverso al prete
o alla monaca, erano così infernali che avrebbero potuto
ispirarmi solo un pamphlet violentissimo, un manifesto
antidemocristiano, un seguito di anatemi contro un partito il cui potere si sostiene su voti (pochi o tanti, non è
qui la questione) ottenuti in questo modo. Insomma:
prima ero a corto di immagini, ora avevo immagini troppo forti. Ho dovuto aspettare che si allontanassero, che
sbiadissero un poco dalla memoria; e ho dovuto far ma-
turare sempre più le riflessioni, i significati che da esse
si irradiano, come un seguito di onde o cerchi concen-
trici.

Cronologia

La presente Cronologia riproduce quella curata da Mario Barenghi e Bruno Falcetto per l'edizione dei Romanzi e racconti *di Italo Calvino nei* «Meridiani», *Mondadori, Milano 1991.*

«Dati biografici: io sono ancora di quelli che credono, con Croce, che di un autore contano solo le opere. (Quando contano, naturalmente.) Perciò dati biografici non ne do, o li do falsi, o comunque cerco sempre di cambiarli da una volta all'altra. Mi chieda pure quel che vuol sapere, e Glielo dirò. *Ma non Le dirò mai la verità,* di questo può star sicura» [lettera a Germana Pescio Bottino, 9 giugno 1964]

«Ogni volta che rivedo la mia vita fissata e oggettivata sono preso dall'angoscia, soprattutto quando si tratta di notizie che ho fornito io [...] ridicendo le stesse cose con altre parole, spero sempre d'aggirare il mio rapporto nevrotico con l'autobiografia» [lettera a Claudio Milanini, 27 luglio 1985]

1923

Italo Calvino nasce il 15 ottobre a Santiago de las Vegas, presso L'Avana. Il padre, Mario, è un agronomo di vecchia famiglia sanremese che, dopo aver trascorso una ventina d'anni in Messico, si trova a Cuba per dirigere una stazione sperimentale di agricoltura e una scuola agraria. La madre, Eva (Evelina) Mameli, sassarese d'origine, è laureata in scienze naturali e lavora come assistente di botanica all'Università di Pavia.

«Mia madre era una donna molto severa, austera, rigida nelle sue idee tanto sulle piccole che sulle grandi cose. Anche mio padre era molto austero e burbero ma la sua severità era più rumorosa, collerica, intermittente. Mio padre come personaggio narrativo viene meglio, sia come vecchio ligure molto radicato nel suo paesaggio, sia come

uomo che aveva girato il mondo e che aveva vissuto la rivoluzione messicana al tempo di Pancho Villa. Erano due
personalità molto forti e caratterizzate [...]. L'unico modo
per un figlio per non essere schiacciato [...] era opporre un
sistema di difese. Il che comporta anche delle perdite: tutto il sapere che potrebbe essere trasmesso dai genitori ai
figli viene in parte perduto» [RdM 80].

1925
La famiglia Calvino fa ritorno in Italia. Il rientro in patria
era stato programmato da tempo, e rinviato a causa dell'ar-
rivo del primogenito: il quale, per parte sua, non serbando
del luogo di nascita che un mero e un po' ingombrante dato anagrafico, si dirà sempre ligure o, più precisamente,
sanremese.
   «Sono cresciuto in una cittadina che era piuttosto diversa dal resto dell'Italia, ai tempi in cui ero bambino: San
Remo, a quel tempo ancora popolata di vecchi inglesi,
granduchi russi, gente eccentrica e cosmopolita. E la mia
famiglia era piuttosto insolita sia per San Remo sia per
l'Italia d'allora: [...] scienziati, adoratori della natura, libe-
ri pensatori [...]. Mio padre, di famiglia mazziniana re-
pubblicana anticlericale massonica, era stato in gioventù
anarchico kropotkiniano e poi socialista riformista [...];
mia madre [...], di famiglia laica, era cresciuta nella religione del dovere civile e della scienza, socialista interven-
tista nel '15 ma con una tenace fede pacifista» [Par 60].
   I Calvino vivono tra la Villa Meridiana e la campagna
avita di San Giovanni Battista. Il padre dirige la Stazione
sperimentale di floricoltura «Orazio Raimondo», frequen-
tata da giovani di molti paesi, anche extraeuropei. In seguito al fallimento della Banca Garibaldi di Sanremo,
mette a disposizione il parco della villa per la prosecuzio-
ne dell'attività di ricerca e d'insegnamento.
   «Tra i miei familiari solo gli studi scientifici erano in
onore; un mio zio materno era un chimico, professore universitario, sposato a una chimica; anzi ho avuto due zii
chimici sposati a due zie chimiche [...] io sono la pecora
nera, l'unico letterato della famiglia» [Accr 60].

1926

«Il primo ricordo della mia vita è un socialista bastonato dagli squadristi [...] è un ricordo che deve riferirsi probabilmente all'ultima volta che gli squadristi usarono il manganello, nel 1926, dopo un attentato a Mussolini. [...] Ma far discendere dalla prima immagine infantile, tutto quel che si vedrà e sentirà nella vita, è una tentazione letteraria» [Par 60].

I genitori sono contrari al fascismo; la loro critica contro il regime tende tuttavia a sfumare in una condanna generale della politica. «Tra il giudicare negativamente il fascismo e un impegno politico antifascista c'era una distanza che ora è quasi inconcepibile» [Par 60].

1927

Frequenta l'asilo infantile al St. George College. Nasce il fratello Floriano, futuro geologo di fama internazionale e docente all'Università di Genova.

1929-1933

Frequenta le Scuole Valdesi. Diventerà balilla negli ultimi anni delle elementari, quando l'obbligo dell'iscrizione verrà esteso alle scuole private.

«La mia esperienza infantile non ha nulla di drammatico, vivevo in un mondo agiato, sereno, avevo un'immagine del mondo variegata e ricca di sfumature contrastanti, ma non la coscienza di conflitti accaniti» [Par 60].

1934

Superato l'esame d'ammissione, frequenta il ginnasio-liceo «G.D. Cassini». I genitori non danno ai figli un'educazione religiosa, e in una scuola statale la richiesta di esonero dalle lezioni di religione e dai servizi di culto risulta decisamente anticonformista. Ciò fa sì che Italo, a volte, si senta in qualche modo diverso dagli altri ragazzi: «Non credo che questo mi abbia nuociuto: ci si abitua ad avere ostinazione nelle proprie abitudini, a trovarsi isolati per motivi giusti, a sopportare il disagio che ne deriva, a trovare la linea giusta per mantenere posizioni che non sono

condivise dai più. Ma soprattutto sono cresciuto tolleran-
te verso le opinioni altrui, particolarmente nel campo religioso [...]. E nello stesso tempo sono rimasto completamente privo di quel gusto dell'anticlericalismo così fre-
quente in chi è cresciuto in mezzo ai preti» [Par 60].

1935-1938
«Il primo vero piacere della lettura d'un vero libro lo provai
abbastanza tardi: avevo già dodici o tredici anni, e fu con
Kipling, il primo e (soprattutto) il secondo libro della Giun-
gla. Non ricordo se ci arrivai attraverso una biblioteca scolà-
stica o perché lo ebbi in regalo. Da allora in poi avevo qualcosa da cercare nei libri: vedere se si ripeteva quel piacere
della lettura provato con Kipling» [manoscritto inedito].

Oltre ad opere letterarie, il giovane Italo legge con interesse le riviste umoristiche («Bertoldo», «Marc'Aurelio»,
«Settebello») di cui lo attrae lo «spirito d'ironia sistemati-
ca» [Rep 84], tanto lontano dalla retorica del regime. Dise-
gna vignette e fumetti; si appassiona al cinema. «Ci sono
stati anni in cui andavo al cinema quasi tutti i giorni e magari due volte al giorno, ed erano gli anni tra diciamo il
Trentasei e la guerra, l'epoca insomma della mia adole-
scenza» [As 74].

Per la generazione cui Calvino appartiene, quell'epoca
è però destinata a chiudersi anzitempo, e nel più drammatico dei modi. «L'estate in cui cominciavo a prender
gusto alla giovinezza, alla società, alle ragazze, ai libri, era
il 1938: finì con Chamberlain e Hitler e Mussolini a Monaco. La "belle époque" della Riviera era finita [...]. Con la
guerra, San Remo cessò d'essere quel punto d'incontro
cosmopolita che era da un secolo (lo cessò per sempre; nel
dopoguerra diventò un pezzo di periferia milan-torinese)
e ritornarono in primo piano le sue caratteristiche di vecchia cittadina di provincia ligure. Fu, insensibilmente, anche un cambiamento d'orizzonti» [Par 60].

1939-1940
La sua posizione ideologica rimane incerta, sospesa fra il
recupero polemico di una scontrosa identità locale, «dia-

lettale», ed un confuso anarchismo. «Fino a quando non scoppiò la seconda guerra mondiale, il mondo mi appariva un arco di diverse gradazioni di moralità e di costume, non contrapposte ma messe l'una a fianco dell'altra [...]. Un quadro come questo non imponeva affatto delle scelte categoriche come può sembrare ora» [Par 60].

Scrive brevi racconti, poesie, testi teatrali: «tra i 16 e i 20 anni sognavo di diventare uno scrittore di teatro» [Pes 83]. Coltiva il suo talento e la sua passione per il disegno, la caricatura, la vignetta: fra la primavera e l'estate del 1940 il «Bertoldo» di Giovanni Guareschi gliene pubblicherà alcune, firmate Jago, nella rubrica «Il Cestino».

1941-1942

Conseguita la licenza liceale (gli esami di maturità sono sospesi a causa della guerra) si iscrive alla Facoltà di Agraria dell'Università di Torino, dove il padre era incaricato di Agricoltura tropicale, e supera quattro esami del primo anno, senza peraltro inserirsi nella dimensione metropolitana e nell'ambiente universitario; anche le inquietudini che maturavano nell'ambiente dei Guf gli rimangono estranee.

Nel quadro del suo interesse per il cinema, scrive recensioni di film; nell'estate del 1941 il «Giornale di Genova» gliene pubblicherà un paio (fra cui quella di *San Giovanni decollato* con Totò protagonista).

Nel maggio del 1942 presenta senza successo alla casa editrice Einaudi il manoscritto di *Pazzo io o pazzi gli altri*, che raccoglie i suoi primi raccontini giovanili, scritti in gran parte nel 1941. Partecipa con *La commedia della gente* al concorso del Teatro nazionale dei Guf di Firenze: nel novembre del 1942 essa viene inclusa dalla giuria fra quelle segnalate alle compagnie teatrali dei Guf.

È nei rapporti personali, e segnatamente nell'amicizia con Eugenio Scalfari (già suo compagno di liceo), che trova stimolo per interessi culturali e politici ancora immaturi, ma vivi. «A poco a poco, attraverso le lettere e le discussioni estive con Eugenio venivo a seguire il risveglio dell'antifascismo clandestino e ad avere un orientamento

nei libri da leggere: leggi Huizinga, leggi Montale, leggi
Vittorini, leggi Pisacane: le novità letterarie di quegli anni
segnavano le tappe d'una nostra disordinata educazione
etico-letteraria» [Par 60].

1943
In gennaio si trasferisce alla Facoltà di Agraria e Forestale
della Regia Università di Firenze, dove sostiene tre esami.
Nei mesi fiorentini frequenta assiduamente la biblioteca
del Gabinetto Vieusseux. Le sue opzioni politiche si vanno facendo via via più definite. Il 25 luglio, la notizia
dell'incarico a Pietro Badoglio di formare un nuovo governo (e poi della destituzione e dell'arresto di Mussolini)
lo raggiunge nel campo militare di Mercatale di Vernio
(Firenze); il 9 agosto farà ritorno a Sanremo. Dopo l'otto
settembre, renitente alla leva della Repubblica di Salò,
passa alcuni mesi nascosto. È questo – secondo la sua te-
stimonianza personale – un periodo di solitudine e di letture intense, che avranno un grande peso nella sua vocazione di scrittore.

1944
Dopo aver saputo della morte in combattimento del giovane medico comunista Felice Cascione, chiede a un amico di
presentarlo al Pci; poi, insieme con il fratello sedicenne, si
unisce alla seconda divisione di assalto «Garibaldi» intito-
lata allo stesso Cascione, che opera sulle Alpi Marittime,
teatro per venti mesi di alcuni fra i più aspri scontri tra i
partigiani e i nazifascisti. I genitori, sequestrati dai tede-
schi e tenuti lungamente in ostaggio, danno prova durante
la detenzione di notevole fermezza d'animo.
    «La mia scelta del comunismo non fu affatto sostenuta
da motivazioni ideologiche. Sentivo la necessità di partire
da una "tabula rasa" e perciò mi ero definito anarchico
[...]. Ma soprattutto sentivo che in quel momento quello
che contava era l'azione; e i comunisti erano la forza più
attiva e organizzata» [Par 60].
    L'esperienza della guerra partigiana risulta decisiva
per la sua formazione umana, prima ancora che politica.

Esemplare gli apparirà infatti soprattutto un certo spirito che animava gli uomini della Resistenza: cioè «una attitudine a superare i pericoli e le difficoltà di slancio, un misto di fierezza guerriera e autoironia sulla stessa propria fierezza guerriera, di senso di incarnare la vera autorità legale e di autoironia sulla situazione in cui ci si trovava a incarnarla, un piglio talora un po' gradasso e truculento ma sempre animato da generosità, ansioso di far propria ogni causa generosa. A distanza di tanti anni, devo dire che questo spirito, che permise ai partigiani di fare le cose meravigliose che fecero, resta ancor oggi, per muoversi nella contrastata realtà del mondo, un atteggiamento umano senza pari» [Gad 62].

Il periodo partigiano è cronologicamente breve, ma, sotto ogni altro riguardo, straordinariamente intenso. «La mia vita in quest'ultimo anno è stato un susseguirsi di peripezie [...] sono passato attraverso una inenarrabile serie di pericoli e di disagi; ho conosciuto la galera e la fuga, sono stato più volte sull'orlo della morte. Ma sono contento di tutto quello che ho fatto, del capitale di esperienze che ho accumulato, anzi avrei voluto fare di più» [lettera a Scalfari, 6 luglio 1945].

1945

Il 17 marzo partecipa alla battaglia di Baiardo, la prima in cui i partigiani di quella zona sono appoggiati dai caccia alleati. La rievocherà nel 1974 in *Ricordo di una battaglia*.

Dopo la Liberazione inizia la «storia cosciente» delle idee di Calvino, che seguiterà a svolgersi, anche durante la milizia nel Pci, attorno al nesso inquieto e personale di comunismo e anarchismo. Questi due termini, più che delineare una prospettiva ideologica precisa, indicano due complementari esigenze ideali: «Che la verità della vita si sviluppi in tutta la sua ricchezza, al di là delle necrosi imposte dalle istituzioni» e «che la ricchezza del mondo non venga sperperata ma organizzata e fatta fruttare secondo ragione nell'interesse di tutti gli uomini viventi e venturi» [Par 60].

Attivista del Pci nella provincia di Imperia, scrive su

vari periodici, fra i quali «La Voce della Democrazia» (organo del Cln di Sanremo), «La nostra lotta» (organo della sezione sanremese del Pci), «Il Garibaldino» (organo della Divisione Felice Cascione).

Usufruendo delle facilitazioni concesse ai reduci, in settembre si iscrive al terzo anno della Facoltà di Lettere di Torino, dove si trasferisce stabilmente. «Torino [...] rappresentava per me – e allora veramente era – la città dove movimento operaio e movimento d'idee contribuivano a formare un clima che pareva racchiudere il meglio d'una tradizione e d'una prospettiva d'avvenire» [Gad 62].

Diviene amico di Cesare Pavese, che negli anni seguenti sarà non solo il suo primo lettore – «finivo un racconto e correvo da lui a farglielo leggere. Quando morì mi pareva che non sarei più stato buono a scrivere, senza il punto di riferimento di quel lettore ideale» [DeM 59] – ma anche un paradigma di serietà e di rigore etico, su cui cercherà di modellare il proprio stile, e perfino il proprio comportamento. Grazie a Pavese presenta alla rivista «Aretusa» di Carlo Muscetta il racconto *Angoscia in caserma*, che esce sul numero di dicembre. In dicembre inizia anche, con l'articolo *Liguria magra e ossuta*, la sua collaborazione al «Politecnico» di Elio Vittorini.

«Quando ho cominciato a scrivere ero un uomo di poche letture, letterariamente ero un autodidatta la cui "didassi" doveva ancora cominciare. Tutta la mia formazione è avvenuta durante la guerra. Leggevo i libri delle case editrici italiane, quelli di "Solaria"» [D'Er 79].

1946
Comincia a «gravitare attorno alla casa editrice Einaudi», vendendo libri a rate [Accr 60]. Pubblica su periodici («l'Unità», «Il Politecnico») numerosi racconti che poi confluiranno in *Ultimo viene il corvo*. In maggio comincia a tenere sull'«Unità» di Torino la rubrica «Gente nel tempo». Incoraggiato da Cesare Pavese e Giansiro Ferrata si dedica alla stesura di un romanzo, che conclude negli ultimi giorni di dicembre. Sarà il suo primo libro, *Il sentiero dei nidi di ragno*.

«Lo scrivere è però oggi il più squallido e ascetico dei mestieri: vivo in una gelida soffitta torinese, tirando cinghia e attendendo i vaglia paterni che non posso che integrare con qualche migliaio di lire settimanali che mi guadagno a suon di collaborazioni» [lettera a Scalfari, 3 gennaio 1947].

Alla fine di dicembre vince (ex aequo con Marcello Venturi) il premio indetto dall'«Unità» di Genova, con il racconto *Campo di mine*.

1947

«Una dolce e imbarazzante bigamia» è l'unico lusso che si conceda in una vita «veramente tutta di lavoro e tutta tesa ai miei obiettivi» [lettera a Scalfari, 3 gennaio 1947]. Fra questi c'è anche la laurea, che consegue con una tesi su Joseph Conrad.

Partecipa col *Sentiero dei nidi di ragno* al Premio Mondadori per giovani scrittori, ma Giansiro Ferrata glielo boccia. Nel frattempo Pavese lo aveva presentato a Einaudi che lo pubblicherà in ottobre nella collana «I coralli»: il libro riscuote un buon successo di vendite e vince il Premio Riccione.

Presso Einaudi Calvino si occupa ora dell'ufficio stampa e di pubblicità. Nell'ambiente della casa editrice torinese, animato dalla continua discussione tra sostenitori di diverse tendenze politiche e ideologiche, stringe legami di amicizia e di fervido confronto intellettuale non solo con letterati (i già citati Pavese e Vittorini, Natalia Ginzburg), ma anche con storici (Delio Cantimori, Franco Venturi) e filosofi, tra i quali Norberto Bobbio e Felice Balbo.

Durante l'estate partecipa come delegato al Festival mondiale della gioventù che si svolge a Praga.

1948

Alla fine di aprile lascia l'Einaudi per lavorare all'edizione torinese dell'«Unità», dove si occuperà, fino al settembre del 1949, della redazione della terza pagina. Comincia a collaborare al mensile del Pci «Rinascita» con racconti e note di letteratura.

Insieme con Natalia Ginzburg va a trovare Hemingway, in vacanza a Stresa.

1949

La partecipazione, in aprile, al congresso dei Partigiani della pace di Parigi gli costerà per molti anni il divieto di entrare in Francia.

In luglio, insoddisfatto del lavoro all'«Unità» di Torino, si reca a Roma per esaminare due proposte d'impiego giornalistico che non si concreteranno. In agosto partecipa al Festival della gioventù di Budapest; scrive una serie di articoli per «l'Unità». Per diversi mesi cura anche la rubrica delle cronache teatrali («Prime al Carignano»). In settembre torna a lavorare da Einaudi, dove fra le altre cose si occupa dell'ufficio stampa e dirige la sezione letteraria della «Piccola Biblioteca Scientifico-Letteraria». Come ricorderà Giulio Einaudi, «furono suoi, e di Vittorini, e anche di Pavese, quei risvolti di copertina e quelle schede che crearono [...] uno stile nell'editoria italiana».

Esce la raccolta di racconti *Ultimo viene il corvo*. Rimane invece inedito il romanzo *Il Bianco Veliero*, sul quale Vittorini aveva espresso un giudizio negativo.

1950

Il 27 agosto Pavese si toglie la vita. Calvino è colto di sorpresa: «Negli anni in cui l'ho conosciuto, non aveva avuto crisi suicide, mentre gli amici più vecchi sapevano. Quindi avevo di lui un'immagine completamente diversa. Lo credevo un duro, un forte, un divoratore di lavoro, con una grande solidità. Per cui l'immagine del Pavese visto attraverso i suicidi, le grida amorose e di disperazione del diario, l'ho scoperta dopo la morte» [D'Er 79]. Dieci anni dopo, con la commemorazione *Pavese: essere e fare* traccerà un bilancio della sua eredità morale e letteraria. Rimarrà invece allo stato di progetto (documentato fra le carte di Calvino) una raccolta di scritti e interventi su Pavese e la sua opera.

Per la casa editrice è un momento di svolta: dopo le dimissioni di Balbo, il gruppo einaudiano si rinnova con l'ingresso, nei primi anni Cinquanta, di Giulio Bollati, Paolo

Boringhieri, Daniele Ponchiroli, Renato Solmi, Luciano Foà e Cesare Cases. «Il massimo della mia vita l'ho dedicato ai libri degli altri, non ai miei. E ne sono contento, perché l'editoria è una cosa importante nell'Italia in cui viviamo e l'aver lavorato in un ambiente editoriale che è stato di modello per il resto dell'editoria italiana, non è cosa da poco» [D'Er 79].

Collabora a «Cultura e realtà», rivista fondata da Felice Balbo con altri esponenti della ex «sinistra cristiana» (Fedele d'Amico, Mario Motta, Franco Rodano, Ubaldo Scassellati).

1951

Conclude la travagliata elaborazione di un romanzo d'impianto realistico-sociale, *I giovani del Po*, che apparirà solo più tardi in rivista (su «Officina», tra il gennaio '57 e l'aprile '58), come documentazione di una linea di ricerca interrotta. In estate, pressoché di getto, scrive *Il visconte dimezzato*.

Fra ottobre e novembre compie un viaggio in Unione Sovietica («dal Caucaso a Leningrado»), che dura una cinquantina di giorni. La corrispondenza (*Taccuino di viaggio in Urss di Italo Calvino*), pubblicata sull'«Unità» nel febbraio-marzo dell'anno successivo, gli varrà il Premio Saint Vincent. Rifuggendo da valutazioni ideologiche generali, coglie della realtà sovietica soprattutto dettagli di vita quotidiana, da cui emerge un'immagine positiva e ottimistica («Qui la società pare una gran pompa aspirante di vocazioni: quel che ognuno ha di meglio, poco o tanto, se c'è deve saltar fuori in qualche modo»), anche se per vari aspetti reticente.

Durante la sua assenza (il 25 ottobre) muore il padre. Dieci anni dopo ne ricorderà la figura nel racconto autobiografico *La strada di San Giovanni*.

1952

Il visconte dimezzato, pubblicato nella collana «I gettoni» di Vittorini, ottiene un notevole successo e genera reazioni contrastanti nella critica di sinistra.

In maggio esce il primo numero del «Notiziario Einaudi», da lui redatto, e di cui diviene direttore responsabile a partire dal n. 7 di questo stesso anno.

Estate: insieme con Paolo Monelli, inviato della «Stampa», segue le Olimpiadi di Helsinki scrivendo articoli di colore per «l'Unità». «Monelli era molto miope, ed ero io che gli dicevo: guarda qua, guarda là. Il giorno dopo aprivo "La Stampa" e vedevo che lui aveva scritto tutto quello che gli avevo indicato, mentre io non ero stato capace di farlo. Per questo ho rinunciato a diventare giornalista» [Nasc 84].

Pubblica su «Botteghe Oscure» (una rivista internazionale di letteratura diretta dalla principessa Marguerite Caetani di Bassiano e redatta da Giorgio Bassani) il racconto *La formica argentina*. Prosegue la collaborazione con «l'Unità», scrivendo articoli di vario genere (mai raccolti in volume), sospesi tra la narrazione, il *reportage* e l'apologo sociale; negli ultimi mesi dell'anno appaiono le prime novelle di *Marcovaldo*.

1953
Dopo *Il Bianco Veliero* e *I giovani del Po*, lavora per alcuni anni a un terzo tentativo di narrazione d'ampio respiro, *La collana della regina*, «un romanzo realistico-social-grottesco-gogoliano» di ambiente torinese e operaio, destinato anch'esso a rimanere inedito.

Sulla rivista romana «Nuovi Argomenti» esce il racconto *Gli avanguardisti a Mentone*.

1954
Inizia a scrivere sul settimanale «Il Contemporaneo», diretto da Romano Bilenchi, Carlo Salinari e Antonello Trombadori; la collaborazione durerà quasi tre anni.

Esce nei «Gettoni» *L'entrata in guerra*.

Viene definito il progetto delle *Fiabe italiane*, scelta e trascrizione di duecento racconti popolari delle varie regioni d'Italia dalle raccolte folkloristiche ottocentesche, corredata da introduzione e note di commento. Durante il lavoro preparatorio Calvino si avvale dell'assistenza dell'etnologo Giuseppe Cocchiara, ispiratore, per la collana dei «Millenni», della collezione dei «Classici della fiaba».

Comincia con una corrispondenza dalla XV Mostra cinematografica di Venezia una collaborazione con la rivista «Cinema Nuovo», che durerà alcuni anni. Si reca spesso a Roma, dove, a partire da quest'epoca, trascorre buona parte del suo tempo.

1955
Dal 1° gennaio ottiene da Einaudi la qualifica di dirigente, che manterrà fino al 30 giugno 1961; dopo quella data diventerà consulente editoriale.

Esce su «Paragone» Letteratura *Il midollo del leone*, primo di una serie di impegnativi saggi, volti a definire la propria idea di letteratura rispetto alle principali tendenze culturali del tempo.

Fra gli interlocutori più agguerriti e autorevoli, quelli che Calvino chiamerà gli hegelo-marxiani: Cesare Cases, Renato Solmi, Franco Fortini.

Stringe con l'attrice Elsa De Giorgi una relazione destinata a durare qualche anno.

1956
In gennaio la segreteria del Pci lo nomina membro della Commissione culturale nazionale.

Partecipa al dibattito sul romanzo *Metello* con una lettera a Vasco Pratolini, pubblicata su «Società».

Il XX congresso del Pcus apre un breve periodo di speranze in una trasformazione del mondo del socialismo reale. «Noi comunisti italiani eravamo schizofrenici. Sì, credo proprio che questo sia il termine esatto. Con una parte di noi eravamo e volevamo essere i testimoni della verità, i vendicatori dei torti subiti dai deboli e dagli oppressi, i difensori della giustizia contro ogni sopraffazione. Con un'altra parte di noi giustificavamo i torti, le sopraffazioni, la tirannide del partito, Stalin, in nome della Causa. Schizofrenici. Dissociati. Ricordo benissimo che quando mi capitava di andare in viaggio in qualche paese del socialismo, mi sentivo profondamente a disagio, estraneo, ostile. Ma quando il treno mi riportava in Italia, quando ripassavo il confine, mi domandavo: ma qui, in Italia, in questa Italia, che cos'altro potrei essere se non comunista? Ecco perché il disgelo, la fine dello stalinismo, ci toglieva un peso terribile dal petto: perché la nostra figura morale, la nostra personalità dissociata, finalmente poteva ricomporsi, finalmente rivoluzione e verità tornavano a coincidere. Questo era, in quei giorni, il sogno e la speranza di molti di noi» [Rep 80]. In vista di una possibile trasformazione del Pci, Calvino ha come punto di riferimento Antonio Giolitti.

Interviene sul «Contemporaneo» nell'acceso *Dibattito sulla cultura marxista* che si svolge fra marzo e luglio, mettendo in discussione la linea culturale del Pci; più tardi (24 luglio), in una riunione della Commissione culturale centrale polemizza con Alicata ed esprime «una mozione di sfiducia verso tutti i compagni che attualmente occupano posti direttivi nelle istanze culturali del partito» [cfr. «l'Unità», 13 giugno 1990]. Il disagio nei confronti delle scelte politiche del vertice comunista si fa più vivo: il 26 ottobre Calvino presenta all'organizzazione di partito dell'Einaudi, la cellula Giaime Pintor, un ordine del giorno che denuncia «l'inammissibile falsificazione della realtà» operata dall'«Unità» nel riferire gli avvenimenti di Poznan e di Budapest, e critica con asprezza l'incapacità del partito di rinnovarsi alla luce degli esiti del XX congresso e dell'evoluzione in corso all'Est. Tre giorni dopo, la cellula approva un «appello ai comunisti» nel quale si chiede fra l'altro che «sia sconfessato l'operato della direzione» e che «si dichiari apertamente la nostra piena solidarietà con i movimenti popolari polacco e ungherese e con i comunisti che non hanno abbandonato le masse protese verso un radicale rinnovamento dei metodi e degli uomini».

Dedica uno dei suoi ultimi interventi sul «Contemporaneo» a Pier Paolo Pasolini, in polemica con una parte della critica di sinistra.

Scrive l'atto unico *La panchina*, musicato da Sergio Liberovici, che sarà rappresentato in ottobre al Teatro Donizetti di Bergamo.

In novembre escono le *Fiabe italiane*. Il successo dell'opera consolida l'immagine di un Calvino «favolista» (che diversi critici vedono in contrasto con l'intellettuale impegnato degli interventi teorici).

1957

Esce *Il barone rampante*, mentre sul quaderno XX di «Botteghe Oscure» appare *La speculazione edilizia*.

Pubblica su «Città aperta» (periodico fondato da un gruppo dissidente di intellettuali comunisti romani) il racconto-apologo *La gran bonaccia delle Antille*, che mette alla berlina l'immobilismo del Pci.

Dopo l'abbandono del Pci da parte di Antonio Giolitti, il 1° agosto rassegna le proprie dimissioni con una sofferta lettera al Comitato federale di Torino del quale faceva parte, pubblicata il 7 agosto sull'«Unità». Oltre a illustrare le ragioni del suo dissenso politico e a confermare la sua fiducia nelle prospettive democratiche del socialismo internazionale, ricorda il peso decisivo che la milizia comunista ha avuto nella sua formazione intellettuale e umana.

Tuttavia questi avvenimenti lasciano una traccia profonda nel suo atteggiamento: «Quelle vicende mi hanno estraniato dalla politica, nel senso che la politica ha occupato dentro di me uno spazio molto più piccolo di prima. Non l'ho più ritenuta, da allora, un'attività totalizzante e ne ho diffidato. Penso oggi che la politica registri con molto ritardo cose che, per altri canali, la società manifesta, e penso che spesso la politica compia operazioni abusive e mistificanti» [Rep 80].

1958

Pubblica su «Nuova Corrente» *La gallina di reparto*, frammento del romanzo inedito *La collana della regina*, e su «Nuovi Argomenti» *La nuvola di smog*. Appare il grande volume antologico dei *Racconti*, a cui verrà assegnato l'anno seguente il Premio Bagutta.

Collabora al settimanale «Italia domani» e alla rivista di Antonio Giolitti «Passato e Presente», partecipando per qualche tempo al dibattito per una nuova sinistra socialista.

Per un paio di anni collabora con il gruppo torinese di «Cantacronache», scrivendo tra il '58 e il '59 testi per quattro canzoni di Liberovici (*Canzone triste*, *Dove vola l'avvoltoio*, *Oltre il ponte* e *Il padrone del mondo*), e una di Fiorenzo

Carpi (*Sul verde fiume Po*). Scriverà anche le parole per una canzone di Laura Betti, *La tigre*, e quelle di *Turin-la-nuit*, musicata da Piero Santi.

1959

Esce *Il cavaliere inesistente*.

Con il n. 3 dell'anno VIII cessa le pubblicazioni il «Notiziario Einaudi». Esce il primo numero del «Menabò di letteratura»: «Vittorini lavorava da Mondadori a Milano, io lavoravo da Einaudi a Torino. Siccome durante tutto il periodo dei "Gettoni" ero io che dalla redazione torinese tenevo i contatti con lui, Vittorini volle che il mio nome figurasse accanto al suo come condirettore del "Menabò". In realtà la rivista era pensata e composta da lui, che decideva l'impostazione d'ogni numero, ne discuteva con gli amici invitati a collaborare, e raccoglieva la maggior parte dei testi» [Men 73].

Declina un'offerta di collaborazione al quotidiano socialista «Avanti!».

Alla fine di giugno, al Festival dei Due Mondi di Spoleto, nel quadro dello spettacolo *Fogli d'album*, viene rappresentato un breve sketch tratto dal suo racconto *Un letto di passaggio*.

In settembre viene messo in scena alla Fenice di Venezia il racconto mimico *Allez-hop*, musicato da Luciano Berio. A margine della produzione narrativa e saggistica e dell'attività giornalistica ed editoriale, Calvino coltiva infatti lungo l'intero arco della sua carriera l'antico interesse per il teatro, la musica e lo spettacolo in generale, tuttavia con sporadici risultati compiuti.

A novembre, grazie a un finanziamento della Ford Foundation, parte per un viaggio negli Stati Uniti che lo porta nelle principali località del paese. Il viaggio dura sei mesi: quattro ne trascorre a New York. La città lo colpisce profondamente, anche per la varietà degli ambienti con cui entra in contatto. Anni dopo dirà che New York è la città che ha sentito sua più di qualsiasi altra. Ma già nella prima delle corrispondenze per il settimanale «ABC» scriveva: «Io amo New York, e l'amore è cieco. E muto: non so controbattere le ragioni degli odiatori con le mie [...]. In fondo, non. si è mai capito bene perché Stendhal amasse tanto Milano. Farò scrivere sulla mia tomba, sotto il mio nome, "newyorkese"?» (11 giugno 1960).

1960
Raccoglie la trilogia araldica nel volume dei *Nostri antenati*, accompagnandola con un'importante introduzione.

Sul «Menabò» n. 2 appare il saggio *Il mare dell'oggettività*.

1961
La sua notorietà va sempre più consolidandosi. Di fronte al moltiplicarsi delle offerte, appare combattuto fra disponibilità curiosa ed esigenza di concentrazione: «Da un po' di tempo, le richieste di collaborazioni da tutte le parti – quotidiani, settimanali, cinema, teatro, radio, televisione –, richieste una più allettante dell'altra come compenso e risonanza, sono tante e così pressanti, che io – combattuto fra il timore di disperdermi in cose effimere, l'esempio di altri scrittori più versatili e fecondi che a momenti mi dà il desiderio d'imitarli ma poi invece finisce per ridarmi il piacere di star zitto pur di non assomigliare a loro, il desiderio di raccogliermi per pensare al "libro" e nello stesso tempo il sospetto che solo mettendosi a scrivere qualunque cosa anche "alla giornata" si finisce per scrivere ciò che rimane – insomma, succede che non scrivo né per i giornali, né per le occasioni esterne né per me stesso» [lettera a Emilio Cecchi, 3 novembre]. Tra le proposte rifiutate, quella di collaborare al «Corriere della sera».

Raccoglie le cronache e le impressioni del suo viaggio negli Stati Uniti in un libro, *Un ottimista in America*, che però decide di non pubblicare quando è già in bozze.

In aprile compie un viaggio di quindici giorni in Scandinavia: tiene conferenze a Copenhagen, a Oslo e a Stoccolma (all'Istituto italiano di cultura).

Fra la fine di aprile e l'inizio di maggio è nell'isola di Maiorca per il Premio internazionale Formentor.

In settembre, insieme con colleghi e amici dell'Einaudi

e di Cantacronache, partecipa alla prima marcia della pace Perugia-Assisi, promossa da Aldo Capitini.

In ottobre si reca a Monaco di Baviera, e a Francoforte per la Fiera del libro.

1962
In aprile a Parigi fa conoscenza con Esther Judith Singer, detta Chichita, traduttrice argentina che lavora presso organismi internazionali come l'Unesco e l'International Atomic Energy Agency (attività che proseguirà fino al 1984, in qualità di *free lance*). In questo periodo Calvino si dice affetto da «dromomania»: si sposta di continuo fra Roma (dove ha affittato un *pied-à-terre*), Torino, Parigi e Sanremo.

«I liguri sono di due categorie: quelli attaccati ai propri luoghi come patelle allo scoglio che non riusciresti mai a spostarli; e quelli che per casa hanno il mondo e dovunque siano si trovano come a casa loro. Ma anche i secondi, e io sono dei secondi [...] tornano regolarmente a casa, restano attaccati al loro paese non meno dei primi» [Bo 60].

Inizia con il quotidiano milanese «Il Giorno» una collaborazione sporadica che si protrarrà per diversi anni.

Sul n. 5 del «Menabò» vede la luce il saggio *La sfida al labirinto*, sul n. 1 di «Questo e altro» il racconto *La strada di San Giovanni*.

1963
È l'anno in cui prende forma in Italia il movimento della cosiddetta neoavanguardia; Calvino, pur senza condividerne le istanze, ne segue gli sviluppi con interesse. Dell'attenzione e della distanza di Calvino verso le posizioni del Gruppo '63 è significativo documento la polemica con Angelo Guglielmi seguita alla pubblicazione della *Sfida al labirinto*.

Pubblica nella collana «Libri per ragazzi» la raccolta *Marcovaldo ovvero Le stagioni in città*. Illustrano il volume (cosa di cui Calvino si dichiarerà sempre fiero) 23 tavole di Sergio Tofano. Escono *La giornata d'uno scrutatore* e l'edizione in volume autonomo della *Speculazione edilizia*.

Alla metà di marzo compie un viaggio in Libia: all'Istituto italiano di cultura di Tripoli tiene una conferenza su «Natura e storia nei romanzi di ieri e di oggi».

In maggio passa una settimana a Corfù come membro della giuria del Premio Formentor. Il 18 maggio riceve a Losanna il Premio internazionale Charles Veillon per *La giornata d'uno scrutatore*.

Compie lunghi soggiorni in Francia.

1964

Il 19 febbraio a L'Avana sposa Chichita.

«Nella mia vita ho incontrato donne di grande forza. Non potrei vivere senza una donna al mio fianco. Sono solo un pezzo d'un essere bicefalo e bisessuato, che è il vero organismo biologico e pensante» [RdM 80].

Il viaggio a Cuba gli dà l'occasione di visitare i luoghi natali e la casa dove abitavano i genitori. Fra i vari incontri, un colloquio personale con Ernesto «Che» Guevara.

Scrive una fondamentale prefazione per la nuova edizione del *Sentiero dei nidi di ragno*.

Dopo l'estate si stabilisce con la moglie a Roma, in un appartamento in via di Monte Brianzo. Della famiglia fa parte anche Marcelo Weil, il figlio sedicenne che Chichita ha avuto dal primo marito. Ogni due settimane si reca a Torino per le riunioni einaudiane e per sbrigare la corrispondenza.

Appare sul «Menabò» n. 7 il saggio *L'antitesi operaia*, che avrà scarsa eco. Nella raccolta *Una pietra sopra* (1980) Calvino lo presenterà come «un tentativo di inserire nello sviluppo del mio discorso (quello dei miei precedenti saggi sul "Menabò") una ricognizione delle diverse valutazioni del ruolo storico della classe operaia e in sostanza di tutta la problematica della sinistra di quegli anni [...] forse l'ultimo mio tentativo di comporre gli elementi più diversi in un disegno unitario e armonico».

Sul «Caffè» di novembre escono le prime quattro cosmicomiche: *La distanza della Luna, Sul far del giorno, Un segno nello spazio, Tutto in un punto*.

1965

Interviene con due articoli («Rinascita», 30 gennaio e «Il Giorno», 3 febbraio) nel dibattito sul nuovo italiano «tecnologico» aperto da Pier Paolo Pasolini.

In maggio nasce a Roma la figlia Giovanna. «Fare l'esperienza della paternità per la prima volta dopo i quarant'anni dà un grande senso di pienezza, ed è oltretutto un inaspettato divertimento» [lettera del 24 novembre a Hans Magnus Enzensberger].

Pubblica *Le Cosmicomiche*. Con lo pseudonimo Tonio Cavilla, cura un'edizione ridotta e commentata del *Barone rampante* nella collana «Letture per la scuola media». Esce il dittico *La nuvola di smog* e *La formica argentina* (in precedenza edite nei *Racconti*).

1966

Il 12 febbraio muore Vittorini. «È difficile associare l'idea della morte – e fino a ieri quella della malattia – alla figura di Vittorini. Le immagini della negatività esistenziale, fondamentali per tanta parte della letteratura contemporanea, non erano le sue: Elio era sempre alla ricerca di nuove immagini di vita. E sapeva suscitarle negli altri» [Conf 66]. Un anno dopo, in un numero monografico del «Menabò» dedicato allo scrittore siciliano, pubblicherà l'ampio saggio *Vittorini: progettazione e letteratura*.

Dopo la scomparsa di Vittorini la posizione di Calvino nei riguardi dell'attualità muta: subentra, come dichiarerà in seguito, una presa di distanza, con un cambiamento di ritmo. «Una vocazione di topo di biblioteca che prima non avevo mai potuto seguire [...] adesso ha preso il sopravvento, con mia piena soddisfazione, devo dire. Non che sia diminuito il mio interesse per quello che succede, ma non sento più la spinta a esserci in mezzo in prima persona. È soprattutto per via del fatto che non sono più giovane, si capisce. Lo stendhalismo, che era stata la filosofia pratica della mia giovinezza, a un certo punto è finito. Forse è solo un processo del metabolismo, una cosa che viene con l'età, ero stato giovane a lungo, forse troppo, tutt'a un tratto ho sentito che doveva cominciare la vec-

chiaia, sì proprio la vecchiaia, sperando magari d'allunga-
re la vecchiaia cominciandola prima» [Cam 73].

La presa di distanza non è però una scontrosa chiusura
all'esterno. In maggio riceve da Jean-Louis Barrault la
proposta di scrivere un testo per il suo teatro. All'inizio di
giugno partecipa a La Spezia alle riunioni del Gruppo '63.
In settembre invia a un editore inglese un contributo al
volume *Authors take sides on Vietnam* («In un mondo in cui
nessuno può essere contento di se stesso o in pace con la
propria coscienza, in cui nessuna nazione o istituzione
può pretendere d'incarnare un'idea universale e neppure
soltanto la propria verità particolare, la presenza della
gente del Vietnam è la sola che dia luce»).

1967
Nella seconda metà di giugno si trasferisce con la famiglia
a Parigi, in una villetta sita in Square de Châtillon, col
proposito di restarvi cinque anni. Vi abiterà invece fino al
1980, compiendo peraltro frequenti viaggi in Italia, dove
trascorre anche i mesi estivi.

Finisce di tradurre *I fiori blu* di Raymond Queneau. Alla
poliedrica attività del bizzarro scrittore francese rinviano
vari aspetti del Calvino maturo: il gusto della comicità
estrosa e paradossale (che non sempre s'identifica con il
divertissement), l'interesse per la scienza e per il gioco
combinatorio, un'idea artigianale della letteratura in cui
convivono sperimentalismo e classicità.

Da una conferenza sul tema «Cibernetica e fantasmi»
ricava il saggio *Appunti sulla narrativa come processo combinatorio*, che pubblica su «Nuova Corrente». Sulla stessa rivista e su «Rendiconti» escono rispettivamente *La carioci-
nesi* e *Il sangue, il mare*, entrambi poi raccolti nel volume *Ti
con zero*.

Verso la fine dell'anno s'impegna con Giovanni Enri-
ques della casa editrice Zanichelli a progettare e redigere,
in collaborazione con G.B. Salinari e quattro insegnanti,
un'antologia per la scuola media che uscirà nel 1969 col titolo *La lettura*.

1968

Il nuovo interesse per la semiologia è testimoniato dalla partecipazione ai due seminari di Barthes su *Sarrasine* di Balzac all'École des Hautes Études della Sorbona, e a una settimana di studi semiotici all'Università di Urbino, caratterizzata dall'intervento di Greimas.

A Parigi frequenta Queneau, che lo presenterà ad altri membri dell'*Oulipo* (*Ouvroir de littérature potentielle*, emanazione del Collège de Pataphysique di Alfred Jarry), fra i quali Georges Perec, François Le Lionnais, Jacques Roubaud, Paul Fournel. Per il resto, nella capitale francese i suoi contatti sociali e culturali non saranno particolarmente intensi: «Forse io non ho la dote di stabilire dei rapporti personali con i luoghi, resto sempre un po' a mezz'aria, sto nelle città con un piede solo. La mia scrivania è un po' come un'isola: potrebbe essere qui come in un altro paese [...] facendo lo scrittore una parte del mio lavoro la posso svolgere in solitudine, non importa dove, in una casa isolata in mezzo alla campagna, o in un'isola, e questa casa di campagna io ce l'ho nel bel mezzo di Parigi. E così, mentre la vita di relazione connessa col mio lavoro si svolge tutta in Italia, qui ci vengo quando posso o devo stare solo» [EP 74].

Come già nei riguardi dei movimenti giovanili di protesta dei primi anni Sessanta, segue la contestazione studentesca con interesse, ma senza condividerne atteggiamenti e ideologia.

Il suo «contributo al rimescolio di idee di questi anni» [Cam 73] è legato piuttosto alla riflessione sul tema dell'utopia. Matura così la proposta di una rilettura di Fourier, che si concreta nel '71 con la pubblicazione di un'originale antologia di scritti: «È dell'indice del volume che sono particolarmente fiero: il mio vero saggio su Fourier è quello» [Four 71].

Rifiuta il Premio Viareggio per *Ti con zero* («Ritenendo definitivamente conclusa epoca premi letterari rinuncio premio perché non mi sento di continuare ad avallare con mio consenso istituzioni ormai svuotate di significato stop. Desiderando evitare ogni clamore giornalistico prego non annunciare mio nome fra vincitori stop. Credete mia amicizia»); accetterà invece due anni dopo il Premio Asti, nel '72 il Premio Feltrinelli dell'Accademia dei Lincei, poi quello della Città di Nizza, il Mondello e altri.

Per tutto l'anno lavora intensamente ai tre volumi dell'antologia scolastica *La lettura*; i suoi interlocutori alla Zanichelli sono Delfino Insolera e Gianni Sofri.

Pubblica presso il Club degli Editori di Milano *La memoria del mondo e altre storie cosmicomiche*.

Fra il 1968 e il 1972 – insieme con alcuni amici (Guido Neri, Carlo Ginzburg, Enzo Melandri e soprattutto Gianni Celati) – ragiona a voce e per scritto sulla possibilità di dar vita a una rivista («Alì Babà»). Particolarmente viva in lui è l'esigenza di rivolgersi a «un pubblico nuovo, che non ha ancora pensato al posto che può avere la lettura nei bisogni quotidiani»: di qui il progetto, mai realizzato, di «una rivista a larga tiratura, che si vende nelle edicole, una specie di "Linus", ma non a fumetti, romanzi a puntate con molte illustrazioni, un'impaginazione attraente. E molte rubriche che esemplificano strategie narrative, tipi di personaggi, modi di lettura, istituzioni stilistiche, funzioni poetico-antropologiche, ma tutto attraverso cose divertenti da leggere. Insomma un tipo di ricerca fatto con gli strumenti della divulgazione» [Cam 73].

1969

Nel volume *Tarocchi. Il mazzo visconteo di Bergamo e New York* di Franco Maria Ricci appare *Il castello dei destini incrociati*. Prepara la seconda edizione di *Ultimo viene il corvo*. Sul «Caffè» appare *La decapitazione dei capi*.

In primavera esce *La lettura*. Di concezione interamente calviniana sono i capitoli *Osservare e descrivere*, nei quali si propone un'idea di descrizione come esperienza conoscitiva, *«problema da risolvere»* («Descrivere vuol dire tentare delle approssimazioni che ci portano sempre un po' più vicino a quello che vogliamo dire, e nello stesso tempo ci lasciano sempre un po' insoddisfatti, per cui dobbiamo continuamente rimetterci ad osservare e a cercare come esprimere meglio quel che abbiamo osservato» [Let 69]).

1970

Nella nuova collana einaudiana degli «Struzzi» esce in giugno *Gli amori difficili*, primo e unico volume della serie «I racconti di Italo Calvino»; il libro si apre con una sua nota bio-bibliografica non firmata.

Rielaborando il materiale di un ciclo di trasmissioni radiofoniche, pubblica una scelta di brani del poema ariostesco, *Orlando furioso di Ludovico Ariosto raccontato da Italo Calvino*.

Durante gli anni Settanta torna più volte a occuparsi di fiaba, scrivendo tra l'altro prefazioni a nuove edizioni di celebri raccolte (Lanza, Basile, Grimm, Perrault, Pitré).

1971

Einaudi gli affida la direzione della collana «Centopagine», che lo impegnerà per alcuni anni. Fra gli autori pubblicati si conteranno, oltre ai classici a lui più cari (Stevenson, Conrad, James, Stendhal, Hoffmann, un certo Balzac, un certo Tolstoj), svariati minori italiani a cavallo fra Otto e Novecento.

Nella miscellanea *Adelphiana* appare *Dall'opaco*.

1972

In marzo lo scrittore americano John Barth lo invita a sostituirlo per l'anno accademico 1972-73 nel corso di *fiction-writing* da lui tenuto a Buffalo, alla facoltà di Arts and Letters della State University di New York. Alla fine di aprile, sia pure a malincuore, Calvino rinuncia all'invito.

In giugno l'Accademia nazionale dei Lincei gli assegna il Premio Antonio Feltrinelli 1972 per la narrativa; il conferimento del premio avverrà in dicembre.

Pubblica *Le città invisibili*.

In novembre partecipa per la prima volta a un *déjeuner* dell'*Oulipo*, di cui diventerà *membre étranger* nel febbraio successivo. Sempre in novembre esce, sul primo numero dell'edizione italiana di «Playboy», *Il nome, il naso*.

1973

Esce l'edizione definitiva del *Castello dei destini incrociati*.

Rispondendo a un'inchiesta di «Nuovi Argomenti»

sull'estremismo, dichiara: «Credo giusto avere una coscienza estremista della gravità della situazione, e che proprio questa gravità richieda spirito analitico, senso della realtà, responsabilità delle conseguenze di ogni azione parola pensiero, doti insomma non estremiste per definizione» [NA 73].

Viene ultimata la costruzione della casa nella pineta di Roccamare, presso Castiglione della Pescaia, dove Calvino trascorrerà d'ora in poi tutte le estati. Fra gli amici più assidui Carlo Fruttero e Pietro Citati.

1974

L'8 gennaio, finalista con *Le città invisibili* del XXIII Premio Pozzale, partecipa al dibattito sulla narrativa italiana del dopoguerra svoltosi alla biblioteca Renato Fucini di Empoli.

Inizia a scrivere sul «Corriere della sera» racconti, resoconti di viaggio e una nutrita serie d'interventi sulla realtà politica e sociale del paese. La collaborazione durerà sino al 1979; tra i primi contributi, il 25 aprile, *Ricordo di una battaglia*. Nello stesso anno un altro scritto d'indole autobiografica, l'*Autobiografia di uno spettatore*, appare come prefazione a *Quattro film* di Federico Fellini.

Per la serie radiofonica «Le interviste impossibili» scrive i dialoghi *Montezuma* e *L'uomo di Neanderthal*.

1975

Nella seconda metà di maggio compie un viaggio in Iran, incaricato dalla Rai di effettuare i sopralluoghi per la futura eventuale realizzazione del programma *Le città della Persia*.

Il primo di agosto si apre sul «Corriere della sera», con *La corsa delle giraffe*, la serie dei racconti del signor Palomar.

Ripubblica nella «Biblioteca Giovani» di Einaudi *La memoria del mondo e altre storie cosmicomiche*.

1976

Fra la fine di febbraio e la metà di marzo è negli Stati Uniti: prima ospite del College di Amherst (Mass.); poi una settimana a Baltimora per i Writing Seminars della Johns Hopkins University (dove tiene seminari sulle *Cosmicomiche* e sui *Tarocchi*, una conferenza e una lettura pubblica delle *Città invisibili*); poi una settimana a New York. Passa infine una decina di giorni in Messico con la moglie Chichita.

Il viaggio in Messico e quello che farà nel mese di novembre in Giappone gli danno lo spunto per una serie di articoli sul «Corriere della sera».

1977

L'8 febbraio, a Vienna, il Ministero austriaco dell'Istruzione e dell'arte gli conferisce lo Staatspreis für Europäische Literatur.

Esce su «Paragone» Letteratura *La poubelle agréée*.

Dà alle stampe *La penna in prima persona* (*Per i disegni di Saul Steinberg*). Lo scritto si inserisce in una serie di brevi lavori, spesso in bilico tra saggio e racconto, ispirati alle arti figurative (in una sorta di libero confronto con opere di Fausto Melotti, Giulio Paolini, Lucio Del Pezzo, Cesare Peverelli, Valerio Adami, Alberto Magnelli, Luigi Serafini, Domenico Gnoli, Giorgio De Chirico, Enrico Baj, Arakawa...).

Sull'«Approdo letterario» di dicembre, col titolo *Il signor Palomar in Giappone*, pubblica la serie integrale dei pezzi ispirati dal viaggio dell'anno precedente.

1978

In una lettera a Guido Neri del 31 gennaio scrive che *La poubelle agréée* fa parte di «una serie di testi autobiografici con una densità più saggistica che narrativa, testi che in gran parte esistono solo nelle mie intenzioni, e in parte in redazioni ancora insoddisfacenti, e che un giorno forse saranno un volume che forse si chiamerà *Passaggi obbligati*».

In aprile, all'età di 92 anni muore la madre. La Villa Meridiana sarà venduta qualche tempo dopo.

1979

Pubblica il romanzo *Se una notte d'inverno un viaggiatore*.

Con l'articolo *Sono stato stalinista anch'io?* (16-17 dicembre) inizia una fitta collaborazione alla «Repubblica» in cui i racconti si alternano alla riflessione su libri, mostre e altri fatti di cultura. Sono quasi destinati a sparire invece,

rispetto a quanto era avvenuto con il «Corriere», gli articoli di tema sociale e politico (fra le eccezioni l'*Apologo
sull'onestà nel paese dei corrotti*, 15 marzo 1980).

1980

Raccoglie nel volume *Una pietra sopra. Discorsi di letteratura e società* la parte più significativa dei suoi interventi sag-
gistici dal 1955 in poi.

Nel mese di settembre si trasferisce con la famiglia a
Roma, in piazza Campo Marzio, in una casa con terrazza
a un passo dal Pantheon.

Accetta da Rizzoli l'incarico di curare un'ampia scelta
di testi di Tommaso Landolfi.

1981

Riceve la Legion d'onore.

Cura l'ampia raccolta di scritti di Queneau *Segni, cifre e
lettere*.

Sulla rivista «Il cavallo di Troia» appare *Le porte di Bag-
dad*, azione scenica per i bozzetti di Toti Scialoja. Su richiesta di Adam Pollock (che ogni estate organizza a Batigna-
no, presso Grosseto, spettacoli d'opera del Seicento e del
Settecento) compone un testo a carattere combinatorio, con
funzione di cornice, per l'incompiuto *Singspiel* di Mozart
Zaide. Presiede a Venezia la giuria della XXIX Mostra Internazionale del Cinema, che premia, oltre ad *Anni di piombo*
di Margarethe von Trotta, *Sogni d'oro* di Nanni Moretti.

1982

All'inizio dell'anno, tradotta da Sergio Solmi, esce da Einaudi la *Piccola cosmogonia portatile* di Queneau; il poema
è seguito da una *Piccola guida alla Piccola cosmogonia* cui
Calvino ha lavorato fra il 1978 e il 1981, discutendo e risol-
vendo ardui problemi d'interpretazione e di resa del testo
in un fitto dialogo epistolare con Solmi.

All'inizio di marzo, al Teatro alla Scala di Milano, viene
rappresentata *La Vera Storia*, opera in due atti scritta da
Berio e Calvino. Di quest'anno è anche l'azione musicale

Duo, primo nucleo del futuro *Un re in ascolto*, sempre composta in collaborazione con Berio.

Su «FMR» di giugno appare il racconto *Sapore sapere*.

In ottobre Rizzoli pubblica il volume *Le più belle pagine di Tommaso Landolfi scelte da Italo Calvino*, con una sua nota finale dal titolo *L'esattezza e il caso*.

In dicembre esce da Einaudi la *Storia naturale* di Plinio con una sua introduzione dal titolo *Il cielo, l'uomo, l'elefante*.

1983
Viene nominato per un mese «directeur d'études» all'École des Hautes Études. Il 25 gennaio tiene una lezione su «Science et métaphore chez Galilée» al seminario di Algirdas Julien Greimas. Legge in inglese alla New York University («James Lecture») la conferenza *Mondo scritto e mondo non scritto*.

Nel pieno della grave crisi che ha colpito la casa editrice Einaudi esce in novembre *Palomar*.

1984
Nel mese di aprile, insieme con la moglie Chichita, compie un viaggio in Argentina, accogliendo l'invito della Feria Internacional del Libro di Buenos Aires. S'incontra anche con Raúl Alfonsín, eletto alcuni mesi prima presidente della repubblica.

In agosto diserta la prima di *Un re in ascolto*; in una lettera a Claudio Varese del mese successivo scrive: «L'opera di Berio a Salisburgo di mio ha il titolo e credo nient'altro».

In settembre è a Siviglia, dove è stato invitato insieme con Borges a un convegno sulla letteratura fantastica.

In seguito alle perduranti difficoltà finanziarie dell'Einaudi decide di accettare l'offerta dell'editore milanese Garzanti, presso il quale appaiono in autunno *Collezione di sabbia* e *Cosmicomiche vecchie e nuove*.

1985
S'impegna con la casa editrice Einaudi a scrivere un'introduzione per *America* di Kafka.

Passa l'estate lavorando intensamente nella sua casa di

Roccamare: traduce *La canzone del polistirene* di Queneau (il testo apparirà postumo presso Scheiwiller, come strenna fuori commercio della Montedison); mette a punto la stesura definitiva di un'intervista a Maria Corti che uscirà nel numero di ottobre di «Autografo»; e soprattutto prepara il testo delle conferenze (*Six Memos for the Next Millennium*) che dovrà tenere all'Università Harvard («Norton Lectures») nell'anno accademico 1985-86.

Colpito da ictus il 6 settembre, viene ricoverato e operato all'ospedale Santa Maria della Scala di Siena. Muore in seguito a emorragia cerebrale nella notte fra il 18 e il 19.

Nella *Cronologia* si è fatto ricorso alle seguenti abbreviazioni:

Accr 60 = *Ritratti su misura di scrittori italiani*, a cura di Elio Filippo Accrocca, Sodalizio del Libro, Venezia 1960.

As 74 = *Autobiografia di uno spettatore*, prefazione a Federico Fellini, *Quattro film*, Einaudi, Torino 1974; poi in *La strada di San Giovanni*, Mondadori, Milano 1990.

Bo 60 = *Il comunista dimezzato*, intervista di Carlo Bo, «L'Europeo», 28 agosto 1960.

Cam 73 = Ferdinando Camon, *Il mestiere di scrittore*. Conversazioni critiche con G. Bassani, I. Calvino, C. Cassola, A. Moravia, O. Ottieri, P.P. Pasolini, V. Pratolini, R. Roversi, P. Volponi, Garzanti, Milano 1973.

Conf 66 = «Il Confronto», II, 10, luglio-settembre 1966.

DeM 59 = *Pavese fu il mio lettore ideale*, intervista di Roberto De Monticelli, «Il Giorno», 18 agosto 1959.

D'Er 79 = *Italo Calvino*, intervista di Marco d'Eramo, «mondoperaio», 6, giugno 1979, pp. 133-38.

EP 74 = *Eremita a Parigi*, Edizioni Pantarei, Lugano 1974.

Four 71 = *Calvino parla di Fourier*, «Libri – Paese sera», 28 maggio 1971.

Gad 62 = Risposta all'inchiesta *La generazione degli anni*

difficili, a cura di Ettore A. Albertoni, Ezio Antonini, Renato Palmieri, Laterza, Bari 1962.

Let 69   = *Descrizioni di oggetti*, in *La lettura. Antologia per la scuola media*, a cura di Italo Calvino e Giambattista Salinari, con la collaborazione di Maria D'Angiolini, Melina Insolera, Mietta Penati, Isa Violante, vol. I, Zanichelli, Bologna 1969.

Men 73   = *Presentazione del Menabò* (1959-1967), a cura di Donatella Fiaccarini Marchi, Edizioni dell'Ateneo, Roma 1973.

NA 73   = *Quattro risposte sull'estremismo*, «Nuovi Argomenti», n.s., 31, gennaio-febbraio 1973.

Nasc 84   = *Sono un po' stanco di essere Calvino*, intervista di Giulio Nascimbeni, «Corriere della sera», 5 dicembre 1984.

Par 60   = Risposta al questionario di un periodico milanese, «Il paradosso», rivista di cultura giovanile, 23-24, settembre-dicembre 1960, pp. 11-18.

Pes 83   = «*Il gusto dei contemporanei*». *Quaderno numero tre. Italo Calvino*, Banca Popolare Pesarese, Pesaro 1987.

RdM 80   = *Se una sera d'autunno uno scrittore*, intervista di Ludovica Ripa di Meana, «L'Europeo», 17 novembre 1980, pp. 84-91.

Rep 80   = *Quel giorno i carri armati uccisero le nostre speranze*, «la Repubblica», 13 dicembre 1980.

Rep 84   = *L'irresistibile satira di un poeta stralunato*, «la Repubblica», 6 marzo 1984.

Bibliografia essenziale

Monografie

G. Bonura, *Invito alla lettura di Italo Calvino*, Mursia, Milano 1972 (nuova ed. aggiornata, ivi 1985).

C. Calligaris, *Italo Calvino*, Mursia, Milano 1973 (nuova ed. aggiornata a cura di G.P. Bernasconi, ivi 1985).

F. Bernardini Napoletano, *I segni nuovi di Italo Calvino. Da «Le Cosmicomiche» a «Le città invisibili»*, Bulzoni, Roma 1977.

G.C. Ferretti, *Le capre di Bikini. Calvino giornalista e saggista 1945-1985*, Editori Riuniti, Roma 1989.

C. Benussi, *Introduzione a Calvino*, Laterza, Roma-Bari 1989.

C. Milanini, *L'utopia discontinua. Saggio su Italo Calvino*, Garzanti, Milano 1990.

G. Bertone, *Italo Calvino. Il castello della scrittura*, Einaudi, Torino 1994.

R. Deidier, *Le forme del tempo. Saggio su Italo Calvino*, Guerini e Associati, Milano 1995.

Ph. Daros, *Italo Calvino*, Hachette, Paris 1995.

M. Belpoliti, *L'occhio di Calvino*, Einaudi, Torino 1996.

F. Serra, *Calvino e il pulviscolo di Palomar*, Le Lettere, Firenze 1996.

M.L. McLaughlin, *Italo Calvino*, Edinburgh University Press, Edinburgh 1998.

P. Castellucci, *Un modo di stare al mondo. Italo Calvino e l'America*, Adriatica, Bari 1999.

S. Perrella, *Calvino*, Laterza, Roma-Bari 1999.

D. Scarpa, *Italo Calvino*, Bruno Mondadori, Milano 1999.

M. Lavagetto, *Dovuto a Calvino*, Bollati Boringhieri, Torino 2001.

A. Asor Rosa, *Stile Calvino. Cinque studi*, Einaudi, Torino 2001.

Profili critici in libri e riviste

G. Almansi, *Il mondo binario di Italo Calvino*, «Paragone», agosto 1971 (ripreso in parte, col titolo *Il fattore Gnac*, in *La ragione comica*, Feltrinelli, Milano 1986).

G. Falaschi, *Italo Calvino*, «Belfagor», 30 settembre 1972,

M. Barenghi, *Italo Calvino e i sentieri che s'interrompono*, «quaderni piacentini» (n.s.), 15, 1984.

P.V. Mengaldo, *Aspetti della lingua di Calvino* [1987], in *La tradizione del Novecento. Terza serie*, Einaudi, Torino 1991.

A. Berardinelli, *Calvino moralista. Ovvero restare sani dopo la fine del mondo*, «Diario», 9, febbraio 1991.

G. Ferroni, *Italo Calvino*, in *Storia della letteratura italiana*, vol. IV (*Il Novecento*), Einaudi, Torino 1991.

J. Starobinski, *Prefazione*, in Italo Calvino, *Romanzi e racconti*, ed. diretta da C. Milanini, a cura di M. Barenghi e B. Falcetto, vol. I, Mondadori, Milano 1991.

C. Milanini, *Introduzione*, in Italo Calvino, *Romanzi e racconti* cit., vol. I e vol. II, 1991 e 1992.

M. Barenghi, *Introduzione*, in *Saggi. 1945-1985*, Mondadori, Milano 1995.

P.V. Mengaldo, *Italo Calvino*, in *Profili di critici del Novecento*, Bollati Boringhieri, Torino 1998.

Atti di convegni e altri volumi collettanei

Italo Calvino: la letteratura, la scienza, la città. Atti del convegno nazionale di studi di Sanremo (28-29 novembre 1986), a cura di C. Bertone, Marietti, Genova 1988: contributi di G. Bertone, N. Sapegno, E. Gioanola, V. Coletti, G. Conte, P. Ferrua, M. Quaini, F. Biamonti, G. Dossena, G. Celli, A. Oliverio, R. Pierantoni, G. Dematteis,

G. Poletto, L. Berio, G. Einaudi, E. Sanguineti, E. Scalfari, D. Cossu, G. Napolitano, M. Biga Bestagno, S. Dian, L. Lodi, S. Perrella, L. Surdich.

Italo Calvino. Atti del Convegno internazionale (Firenze, 26-28 febbraio 1987), a cura di G. Falaschi, Garzanti, Milano 1988: contributi di L. Baldacci, G. Bàrberi Squarotti, C. Bernardini, G.R. Cardona, L. Caretti, C. Cases, Ph. Daros, D. Del Giudice, A.M. Di Nola, A. Faeti, G. Falaschi, G.C. Ferretti, F. Fortini, M. Fusco, J.-M. Gardair, E. Ghidetti, L. Malerba, P.V. Mengaldo, G. Nava, G. Pampaloni, L. Waage Petersen, R. Pierantoni, S. Romagnoli, A. Asor Rosa, J. Risset, C.C. Roscioni, A. Rossi, G. Sciloni, V. Spinazzola, C. Varese.

L'avventura di uno spettatore. Italo Calvino e il cinema [convegno di San Giovanni Valdarno, 1987], a cura di L. Pellizzari, prefazione di S. Beccastrini, Lubrina, Bergamo 1990: contributi di G. Fofi, A. Costa, L. Pellizzari, M. Canosa, G. Fink, G. Bogani, L. Clerici, F. Maselli, C. di Carlo, L. Tornabuoni.

Italo Calvino, a writer for the next millennium. Atti del Convegno internazionale di studi di Sanremo (28 novembre - 1° dicembre 1996), a cura di G. Bertone, Edizioni dell'Orso, Alessandria 1998: contributi di G. Bertone, F. Biamonti, G. Ferroni, E. Sanguineti, E. Ferrero, C. Milanini, G.C. Ferretti, G. Einaudi, E. Franco, A. Canobbio, M. Ciccuto, B. Ferraro, G.L. Beccaria, G. Falaschi, M. Belpoliti, P.L. Crovetto, M.L. McLaughlin, V. Coletti, M. Quaini, L. Mondada, C. Raffestin, V. Guarrasi, G. Dematteis, M. Corti, L. Surdich, C. Benussi, P. Zublena.

Il fantastico e il visibile. L'itinerario di Italo Calvino dal neorealismo alle «Lezioni americane» (Napoli, 9 maggio 1997), a cura di C. De Caprio e U.M. Olivieri, con una Bibliografia della critica (1947-2000) di D. Scarpa, Libreria Dante & Descartes, Napoli 2000: contributi di G. Ferroni, C. Ossola, C. De Caprio, M.A. Martinelli, P. Montefoschi, M. Palumbo, F.M. Risolo, C. Bologna, G. Patrizi, M. Boselli, J. Jouet, L. Montella, U.M. Olivieri, D. Scarpa, C. Vallini, M. Belpoliti, S. Perrella, A. Bruciamonti, E.M. Ferrara, L. Palma.

Numeri speciali di periodici

«Nuova Corrente», *Italo Calvino/1*, a cura di M. Boselli, gennaio-giugno 1987: contributi di B. Falcetto, C. Milanini, K. Hume, M. Carlino, L. Gabellone, F. Muzzioli, M. Barenghi, M. Boselli, E. Testa.

«Nuova Corrente», *Italo Calvino/2*, a cura di M. Boselli, luglio-dicembre 1987: contributi di G. Celati, A. Prete, S. Verdino, E. Gioanola, V. Coletti, G. Patrizi, G. Guglielmi, C. Gramigna, G. Terrone, R. West, G.L. Lucente, G. Almansi.

«Riga», 9, 1995, *Italo Calvino. Enciclopedia: arte, scienza e letteratura*, a cura di M. Belpoliti: antologia di testi di Calvino e di E. Sanguineti, E. Montale, P.P. Pasolini, J. Updike, G. Vidal, M. Tournier, G. Perec, P. Citati, S. Rushdie, C. Fuentes, D. Del Giudice, Fruttero e Lucentini, L. Malerba, N. Ginzburg, H. Mathews, F. Biamonti, A. Tabucchi, G. Manganelli, G. Celati, P. Antonello, M. Belpoliti, R. Deidier, B. Falcetto, M. Porro, F. Ricci, M. Rizzante, D. Scarpa, F. De Leonardis, G. Paolini.

«europe», 815, Mars 1997, *Italo Calvino*: contributi di J.-B. Para e R. Bozzetto, N. Ginzburg, S. Rushdie, G. Celati, M.-A. Rubat du Mérac, M. Fusco, J. Jouet, A. Asor Rosa, J. Updike, P. Citati, M. Lavagetto, D. Del Giudice, G. Manganelli, M. Belpoliti, J.P. Manganaro, P. Braffort, M. Barenghi, C. Milanini.

Recensioni e studi su «La giornata d'uno scrutatore»

A. Barbato, *Il 7 giugno al Cottolengo* (Calvino ha impiegato dieci anni per scrivere le cento pagine del suo ultimo libro), «L'Espresso», 10 marzo 1963.

G. Piovene, *"La giornata d'uno scrutatore" di Calvino è lo specchio dell'incertezza in cui viviamo*, «La Stampa», 13 marzo 1963.

P. Milano, *Italo Calvino e la perplessità*, «L'Espresso», 17 marzo 1963.

M. Soldati, *Il cuore e l'occhio dello scrutatore*, «Il Giorno», 20 marzo 1963.

A. Asor Rosa, *Il carciofo della dialettica* [1963], in *Intellettuali e classe operaia*, La Nuova Italia, Firenze 1973, pp. 139-47.

G. Ferrata, *Le due metà della «Giornata d'uno scrutatore»*, «Rinascita», 6 aprile 1963.

A. Bocelli, *L'ultimo Calvino*, «Il Mondo», 23 aprile 1963.

A. Guglielmi, *Giornata d'uno scrutatore*, «Corriere della Sera», 28 aprile 1963.

O. del Buono, *Uno scrutatore un po' troppo furbo*, «Settimana Incom illustrata», 24 marzo 1963.

C. Varese, testo del 1963 su *La giornata d'uno scrutatore*, poi rifuso nel capitolo *Italo Calvino*, in *Occasioni e valori della letteratura contemporanea*, Cappelli, Bologna 1967, pp. 227-32.

R. Barilli, *Un «triangolo» inedito (Uomini e nani)* [1963], in *La barriera del naturalismo. Studi sulla narrativa italiana contemporanea*, Mursia, Milano 1970 (2ª ed.), pp. 257-263.

L. De Federicis, *Italo Calvino e La Giornata d'uno scrutatore*, Loescher, Torino 1989.

B. Falcetto, *Note e notizie sui testi. La giornata d'uno scrutatore*, in Italo Calvino, *Romanzi e racconti*, II, Mondadori, Milano 1992, pp. 1311-17.

La giornata
d'uno scrutatore

Nota dell'autore.

La sostanza di ciò che ho raccontato è vera; ma i personaggi sono tutti completamente immaginari. In particolare: l'onorevole che compare al capitolo X è inutile cercare d'individuarlo; è un personaggio allegorico, inventato da me. Mi sono anche informato se caso mai qualcuno potesse riconoscervisi: e non c'è. Tranne che per quel capitolo, ho cercato di basarmi sempre su cose viste coi miei occhi (in due occasioni, nel 1953 e nel 1961); ammesso che questo possa importare, in un racconto che è più di riflessioni che di fatti.

[annotazioni manoscritte: Except; basarsi su – be based on; tranne – except; ammesso che – supposing that]

I

Amerigo Ormea uscì di casa alle cinque e mezzo del mattino. La giornata si annunciava piovosa. Per raggiungere il seggio elettorale dov'era scrutatore, Amerigo seguiva un percorso di vie strette e arcuate, ricoperte ancora di vecchi selciati, lungo muri di case povere, certo fittamente abitate ma prive, in quell'alba domenicale, di qualsiasi segno di vita. Amerigo, non pratico del quartiere, decifrava i nomi delle vie sulle piastre annerite – nomi forse di dimenticati benefattori – inclinando di lato l'ombrello e alzando il viso allo sgrondare della pioggia.

C'era l'abitudine tra i sostenitori dell'opposizione (Amerigo Ormea era iscritto a un partito di sinistra) di considerare la pioggia il giorno delle elezioni come un buon segno. Era un modo di pensare che continuava dalle prime votazioni del dopoguerra, quando ancora si credeva che, col cattivo tempo, molti elettori dei democristiani – persone poco interessate alla politica o vecchi inabili o abitanti in campagne dalle strade cattive – non avrebbero messo il naso fuor di casa. Ma Amerigo non si faceva di queste illusioni: era ormai il 1953, e con tante elezioni che c'erano state s'era visto che, pioggia o sole, l'organizzazione per far votare tutti funzionava sempre. Figuriamoci stavolta, che si trattava per i partiti del governo di far valere una nuova legge elettorale (la «legge-truffa», l'avevano

battezzata gli altri) per cui la coalizione che avesse
preso il 50% + 1 dei voti avrebbe avuto i due terzi
dei seggi... Amerigo, lui, aveva imparato che in
politica i cambiamenti avvengono per vie lunghe e
complicate, e non c'è da aspettarseli da un giorno
all'altro, come per un giro di fortuna; anche per
lui, come per tanti, farsi un'esperienza aveva voluto dire diventare un poco pessimista.

D'altro canto, c'era sempre la morale che bisogna continuare a fare quanto si può, giorno per
giorno; nella politica come in tutto il resto della vita, per chi non è un balordo, contano quei due
principî lì: non farsi mai troppe illusioni e non
smettere di credere che ogni cosa che fai potrà servire. Amerigo non era uno che gli piacesse mettersi
avanti: nella professione, all'affermarsi preferiva il
conservarsi persona giusta; non era quel che si dice
un «politico» né nella vita pubblica né nelle relazio-
ni di lavoro; e – va aggiunto – né nel senso buono
né nel senso cattivo della parola. (Perché c'era *anche* un senso cattivo; o *anche* un senso buono, secondo come uno la mette; Amerigo comunque lo
sapeva). Era iscritto al partito, questo sì, e per
quanto non potesse dirsi un «attivista» perché il
suo carattere lo portava verso una vita più raccolta,
non si tirava indietro quando c'era da fare qualcosa
che sentiva utile e adatto a lui. In Federazione lo
consideravano elemento preparato e di buon senso: ora l'avevano fatto scrutatore: un compito mo-
desto, ma necessario e anche d'impegno, soprattutto in quel seggio, all'interno d'un grande istituto religioso. Amerigo aveva accettato di buon grado. Pioveva. Sarebbe rimasto con le scarpe bagnate
tutta la giornata.

II

Se si usano dei termini generici come «partito di sinistra», «istituto religioso», non è perché non si vogliano chiamare le cose con il loro nome, ma perché anche dichiarando *d'emblée* che il partito di Amerigo Ormea era il partito comunista e che il seggio elettorale era situato all'interno del famoso «Cottolengo» di Torino, il passo avanti che si fa sulla via dell'esattezza è più apparente che reale. Alla parola «comunismo» o alla parola «Cottolengo», capita che ognuno, secondo le proprie cognizioni ed esperienze, è portato ad attribuire valori diversi o magari contrastanti, e allora resterebbe da precisare ancora, definire il ruolo di quel partito in quella situazione, nell'Italia di quegli anni, e il modo di Amerigo nello starci dentro, e quanto al «Cottolengo», altrimenti detto «Piccola Casa della Divina Provvidenza» – ammesso che tutti sappiano la funzione di quell'enorme ospizio, di dare asilo, tra i tanti infelici, ai minorati, ai deficienti, ai deformi, giù giù fino alle creature nascoste che non si permette a nessuno di vedere – occorrerebbe definire il suo posto nella pietà dei cittadini, il rispetto che incuteva anche nei più distanti da ogni idea religiosa, e nello stesso tempo il posto tutt'affatto diverso che aveva assunto nelle polemiche in tempo d'elezioni, quasi un sinonimo di truffa, di broglio, di prevaricazione.

Infatti, da quando nel secondo dopoguerra il voto era divenuto obbligatorio, e ospedali ospizi conventi fungevano da grande riserva di suffragi per il partito democratico cristiano, era là soprattutto che ogni volta si davano casi d'idioti portati a votare, o vecchie moribonde, o paralizzati dall'arteriosclerosi, comunque gente priva di capacità d'intendere. Fioriva, su questi casi, un'aneddotica tra burlesca e pietosa: l'elettore che s'era mangiato la scheda, quello che a trovarsi tra le pareti della cabina con in mano quel pezzo di carta s'era creduto alla latrina e aveva fatto i suoi bisogni, o la fila dei deficienti più capaci d'apprendere, che entravano ripetendo in coro il numero della lista e il nome del candidato: «un due tre, Quadrello! un due tre, Quadrello!»

Amerigo queste cose le sapeva già tutte e non ne provava né curiosità né meraviglia; sapeva che una giornata triste e nervosa lo attendeva; cercando sotto la pioggia l'ingresso segnato sulla cartolina del Comune aveva la sensazione d'inoltrarsi al di là delle frontiere del suo mondo.

L'istituto s'estendeva tra quartieri popolosi e poveri, per la superficie d'un intero quartiere, comprendendo un insieme d'asili e ospedali e ospizi e scuole e conventi, quasi una città nella città, cinta da mura e soggetta ad altre regole. I contorni ne erano irregolari, come un corpo ingrossato via via attraverso nuovi lasciti e costruzioni e iniziative: oltre le mura spuntavano tetti d'edifici e pinnacoli di chiese e chiome d'alberi e fumaioli; dove la pubblica via separava un corpo di costruzione dall'altro li collegavano gallerie sopraelevate, come in certi vecchi stabilimenti industriali, cresciuti seguendo intenti di praticità e non di bellezza, e anch'essi come questi, recinti da muri nudi e cancelli. Il ricordo delle fabbriche rifletteva qualcosa di non soltanto esteriore: dovevano esser state le stesse doti prati-

che, lo stesso spirito d'iniziativa solitaria dei fonda-
tori delle grandi imprese, ad animare – esprimen-
dosi nel soccorso dei derelitti anziché nella produzione e nel profitto – quel semplice prete che tra il
1832 e il 1842 aveva fondato e organizzato e ammi-
nistrato in mezzo a difficoltà e incomprensioni questo monumento della carità sulla scala della na-
scente rivoluzione industriale; e anche per lui il
suo nome – quel mite cognome campagnolo – aveva perso ogni connotazione individuale per desi-
gnare una istituzione famosa nel mondo.

... Nel crudele gergo popolare, poi, quel nome
era divenuto, per traslato, epiteto derisorio per dire
deficiente, idiota, anche abbreviato, secondo l'uso
torinese, alle sue prime sillabe: *cutu*. Sommava
dunque, il nome «Cottolengo», un'immagine di
sventura a un'immagine ridicola (come spesso avviene nella risonanza popolare anche ai nomi dei
manicomi, delle prigioni), e insieme di provvidenza benefica, e insieme di potenza organizzativa, e
adesso poi, con lo sfruttamento elettorale, d'oscu-
rantismo, medioevo, malafede...
Ogni significato si stingeva sull'altro, e addosso
ai muri la pioggia infradiciava i manifesti, improv-
visamente invecchiati come se la loro aggressività
si fosse spenta con l'ultima sera di battaglia dei comizi e degli attacchini, l'altro ieri, e già fossero ri-
dotti a una patina di colla e carta cattiva, che da
uno strato all'altro lascia trasparire i simboli degli
opposti partiti. Ad Amerigo la complessità delle cose alle volte pareva un sovrapporsi di strati netta-
mente separabili, come le foglie d'un carciofo, alle
volte invece un agglutinamento di significati, una
pasta collosa.
Anche nel suo dirsi «comunista» (e nel percorso
che, per designazione del suo partito, egli compiva
in quest'alba umida come una spugna) non si di-

stingueva fin dove arrivasse un dovere tramandato di generazione in generazione (tra i muri di quegli edifici ecclesiastici Amerigo si vedeva – un po' ironicamente e un po' sul serio – nella parte d'un ultimo anonimo erede del razionalismo settecentesco – sia pur solo per un esiguo resto di quell'eredità mai saputa far fruttare – nella città che tenne Giannone in ceppi) e fin dove lo sbocco in un'altra storia, vecchia appena d'un secolo ma già irta d'ostacoli e passi obbligati, l'avanzata del proletariato socialista (allora era attraverso le «contraddizioni interne della borghesia» o l'«autocoscienza della classe in crisi» che la lotta di classe era arrivata a smuovere anche l'ex borghese Amerigo), o meglio la più recente – d'una quarantina d'anni soltanto – incarnazione di quella lotta di classe, dacché il comunismo era diventato potenza internazionale e la rivoluzione s'era fatta disciplina, preparazione a dirigere, trattativa da potenza a potenza anche dove non si aveva il potere (attraeva dunque anche Amerigo questo gioco di cui molte regole parevano fissate e imperscrutabili e oscure ma molte si aveva il senso di partecipare a stabilirle), oppure, all'interno di questa partecipazione al comunismo, era una sfumatura di riserva sulle questioni generali, che spingeva Amerigo a scegliere i compiti di partito più limitati e modesti come riconoscendo in essi i più sicuramente utili, e anche in questi andando sempre preparato al peggio, cercando di serbarsi sereno pur nel suo (altro termine generico) pessimismo (in parte ereditario anche quello, la sospirosa aria di famiglia che contraddistingue gli italiani della minoranza laica, che ogni volta che vince s'accorge d'aver perso), ma sempre in linea subordinata a un ottimismo altrettanto e più forte, l'ottimismo senza il quale non sarebbe stato comunista (allora bisognava dire, prima: un ottimismo ereditario, della

minoranza italiana che crede d'aver vinto ogni volta che perde; cioè l'ottimismo e il pessimismo erano, se non la stessa cosa, le due facce della stessa
foglia di carciofo), e, nello stesso tempo, al suo opposto, il vecchio scetticismo italiano, il senso del
relativo, la facoltà d'adattamento e attesa (cioè il
nemico secolare di quella minoranza: e allora tutte
le carte tornavano a imbrogliarsi perché chi parte in
guerra contro lo scetticismo non può essere scettico
sulla sua vittoria, non può rassegnarsi a perdere,
altrimenti s'identifica col suo nemico), e sopra a
tutto l'aver capito finalmente quel che non ci voleva poi tanto a capire: che questo è solo un angolo
dell'immenso mondo e che le cose si decidono,
non diciamo altrove perché altrove è dappertutto,
ma su una scala più vasta (e anche in questo c'erano ragioni di pessimismo e ragioni d'ottimismo,
ma le prime venivano alla mente più spontanee).

III

Per trasformare una stanza in sezione elettorale (stanza che di solito è un'aula di scuola o di tribunale, il camerone d'un refettorio, d'una palestra, o un qualsiasi locale d'un ufficio del Comune) bastano poche suppellettili – quei paraventi di legno piallato, senza vernice, che fanno da cabina; quella cassa di legno pure grezzo che è l'urna; quel materiale (i registri, i pacchi di schede, le matite, le penne a sfera, un bastone di ceralacca, dello spago, delle strisce di carta ingommata) che viene preso in consegna dal presidente al momento della «costituzione del seggio» – e una speciale disposizione dei tavoli che si trovano sul posto. Ambienti insomma nudi, anonimi, coi muri tinti a calce; e oggetti più nudi e anonimi ancora; e questi cittadini, lì al tavolo – presidente, segretario, scrutatori, eventuali «rappresentanti di lista» – prendono anch'essi l'aria impersonale della loro funzione.

Quando incominciano ad arrivare i votanti allora tutto s'anima: è la varietà della vita che entra con loro, tipi caratterizzati uno per uno, gesti troppo impacciati o troppo svelti, voci troppo grosse o troppo fine. Ma c'è un momento, prima, quando quelli del seggio sono soli, e stanno lì a contare le matite, un momento che ci si sente stringere il cuore.

Specialmente là dov'era Amerigo: il locale di

questa sezione – una delle tante allestite dentro il
«Cottolengo», perché ogni sezione raccoglie circa
cinquecento elettori, e in tutto il «Cottolengo» di
elettori ce n'è delle migliaia – era in giorni normali
un parlatorio per i parenti che vengono a trovare i
ricoverati, e aveva torno torno delle panche di legno (Amerigo scacciò dalla mente le facili immagini
che il luogo evocava: attese di genitori campagnoli,
panieri con qualche frutta, dialoghi tristi) e le finestre, alte, davano su un cortile, irregolare di forma,
tra padiglioni e porticati, un po' da caserma, un
po' da ospedale (delle donne troppo grandi portavano dei carretti, dei bidoni; avevano gonne nere
come contadine di tanto tempo fa, scialli neri di lana, cuffie nere, grembiuli azzurri; si muovevano
svelte, nella pioggerella che veniva; Amerigo dette
appena un'occhiata e si tolse via dalle finestre).

Non voleva lasciarsi prendere dallo squallore
dell'ambiente, e per far ciò si concentrava sullo
squallore dei loro arnesi elettorali – quella cancelle-
ria, quei cartelli, il libriccino ufficiale del regola-
mento consultato a ogni dubbio dal presidente, già
nervoso prima di cominciare – perché questo era
per lui uno squallore ricco, ricco di segni, di significati, magari in contrasto uno con l'altro.

La democrazia si presentava ai cittadini sotto
queste spoglie dimesse, grige, disadorne; ad Amerigo a tratti ciò pareva sublime, nell'Italia da sempre ossequiente a ciò che è pompa, fasto, esteriori-
tà, ornamento; gli pareva finalmente la lezione d'u-
na morale onesta e austera; e una perpetua silen-
ziosa rivincita sui fascisti, su coloro che la democrazia avevano creduto di poter disprezzare proprio
per questo suo squallore esteriore, per questa sua
umile contabilità, ed erano caduti in polvere con
tutte le loro frange e i loro fiocchi, mentre essa, col
suo scarno cerimoniale di pezzi di carta ripiegati

come telegrammi, di matite affidate a dita callose o malferme, continuava la sua strada.

Ecco, lì, attorno a lui, gli altri membri del seggio, persone qualsiasi, per lo più (pareva) reclutate su proposta dell'Azione Cattolica ma qualcuno anche (oltre lui Amerigo) dei partiti comunista e socialista (ancora non li aveva individuati), impegnarsi in un servizio comune, un servizio razionale, laico. Eccoli alle prese coi piccoli problemi pratici: come mettere a verbale i «Votanti iscritti in altre sezioni»; come rifare il conto degli iscritti in base all'elenco arrivato all'ultimo momento dei «Votanti deceduti». Ora eccoli che sciolgono con dei fiammiferi la ceralacca per sigillare l'urna e poi non sanno come tagliare lo spago che avanza e decidono di bruciarlo coi fiammiferi...

In questi gesti, in questo immedesimarsi nelle loro provvisorie funzioni, Amerigo era pronto a riconoscere il vero senso della democrazia, e pensava al paradosso d'essere lì insieme, i credenti nell'ordine divino, nell'autorità che non proviene da questa terra, e i compagni suoi, ben coscienti dell'inganno borghese di tutta la baracca: insomma, due razze di gente che alle regole della democrazia avrebbero dovuto dargli poco affidamento, eppure sicuri gli uni e gli altri d'esserne i più gelosi tutori, d'incarnarne la sostanza stessa.

Due degli scrutatori erano donne: una col golfino arancione, un viso rosso di lentiggini, sui trent'anni, pareva, operaia, o impiegata; l'altra sui cinquanta, con una blusa bianca, un medaglione con un ritratto sul petto, forse una vedova, l'aria di maestra elementare. Chi l'avrebbe detto – pensava Amerigo, ormai deciso a veder tutto nella luce migliore – che da così pochi anni le donne avevano i diritti civili? Sembrava non avessero mai fatto altro, di madre in figlia, che preparare le elezioni. Per di più sono quelle che hanno più buon senso, nelle piccole questioni pratiche, e soccorrono gli uomini, impacciati.

Seguendo questo filo di pensieri, già Amerigo arrivava a sentirsi soddisfatto, come se tutto ormai andasse per il meglio (indipendentemente dalle oscure prospettive delle elezioni, indipendentemente dal fatto che le urne si trovavano dentro un ospizio, dove non avevano potuto né tenersi comizi, né manifesti essere affissi, né vendersi giornali), quasi che la vittoria fosse già questa, nella vecchia lotta tra Stato e Chiesa, la rivincita d'una religione laica di dovere civile, contro...

Contro cosa? Amerigo tornava a guardarsi intorno, come cercando la presenza tangibile d'una forza contraria, d'un'antitesi, ma non trovava più appigli, non riusciva più a contrapporre le cose della sezione all'ambiente che le conteneva: nel quarto d'ora da quando lui era lì, cose e luoghi erano divenuti omogenei, accomunati in un unico anonimo grigiore amministrativo, uguale per le prefetture e le questure come per le grandi opere pie. E come chi, tuffandosi nell'acqua fredda, s'è sforzato di convincersi che il piacere di tuffarsi sta tutto in quell'impressione di gelo, e poi nuotando ritrova dentro di sé il calore e insieme il senso di quanto fredda e ostile è l'acqua, così Amerigo dopo tutte le operazioni mentali per trasformare dentro di sé lo squallore della sezione elettorale in un valore prezioso, era tornato a riconoscere che la prima impressione – di estraneità e freddezza di quell'ambiente – era la giusta.

In quegli anni la generazione d'Amerigo (o meglio quella parte della sua generazione che aveva vissuto in un certo modo gli anni dopo il '40) aveva scoperto le risorse d'un atteggiamento finora sconosciuto: la nostalgia. Così, nella memoria, egli prese a contrapporre allo scenario che aveva davanti agli occhi il clima che c'era stato in Italia dopo la liberazione, per un paio d'anni di cui ora gli pareva che il ricordo più vivo fosse la partecipazione di tutti alle cose e agli atti della politica, ai problemi di quel momento, gravi ed elementari (erano pensieri d'adesso: allora aveva vissuto quei tempi come un clima naturale, come facevano tutti, godendoselo – dopo tutto quel che c'era stato –, arrabbiandosi contro ciò che non andava, senza pensare che potesse mai essere idealizzato); ricordava l'aspetto della gente d'allora, che pareva tutta quasi egualmente povera, e interessata alle questioni universali più che alle private; ricordava le sedi improvvisate dei partiti, piene di fumo, di rumore di ciclostili, di persone incappottate che facevano a gara nello slancio volontario (e questo era tutto vero, ma soltanto adesso, a distanza di anni, egli poteva cominciare a vederlo, a farsene un'immagine, un mito); pensò che solo quella democrazia appena nata poteva meritare il nome di democrazia; era quello il valore che invano poco fa egli andava cercando nella modestia delle cose e non trovava; perché quell'epoca era ormai finita, e piano piano a invadere il campo era tornata l'ombra grigia dello Stato burocratico, uguale prima durante e dopo il fascismo, la vecchia separazione tra amministratori e amministrati.

La votazione che adesso cominciava avrebbe (Amerigo ne era, ahimè, sicuro) ingrandito ancora quest'ombra, questa separazione, allontanato ancora quei ricordi, facendoli diventare, da corposi e aspri che erano, sempre più eterei e idealizzati. Il parlatorio del «Cottolengo» era dunque lo scenario perfetto per la giornata: non era forse quest'ambiente il risultato d'un processo simile a quello subito dalla democrazia? Alle origini, anche qui dove-

va esserci stato (in un'epoca in cui la miseria era
ancora senza speranza) il calore d'una pietà che
pervadeva persone e cose (forse anche ora c'era –
Amerigo non voleva escluderlo – in singole persone e ambienti là dentro, separati dal mondo), e doveva aver creato, tra soccorritori e derelitti, l'immagine d'una società diversa, in cui non era l'interesse che contava, ma la vita. (Amerigo, come molti
laici di scuola storicista, si faceva un puntiglio di
saper comprendere e apprezzare, dal suo punto di
vista, momenti e forme della vita religiosa). Ma
adesso questo era un grande ente assistenziale-
ospitaliero, dalle attrezzature certamente antiquate,
che adempiva bene o male alle sue funzioni, al suo
servizio, e per di più era diventato produttivo, in
un modo che al tempo in cui era stato fondato nessuno avrebbe potuto immaginare: produceva voti.

Dunque, quello che conta d'ogni cosa è solo il
momento in cui comincia, in cui tutte le energie sono tese, in cui non esiste che il futuro? Non viene
per ogni organismo il momento in cui subentra la
normale amministrazione, il tran-tran? (Anche per
il comunismo – non poteva non domandarsi Amerigo – anche per il comunismo sarebbe avvenuto? o
stava già avvenendo?) Oppure... oppure quel che
conta non sono le istituzioni che invecchiano ma le
volontà e i bisogni umani che continuano a rinnovarsi, a ridare verità agli strumenti di cui si servo-
no? Qui, a metter su questa sezione (ora restava
solo da attaccare bene in vista – secondo il regola-
mento – tre manifesti: uno con gli articoli di legge e
due con le liste dei candidati), quegli uomini e donne sconosciuti e in parte avversi lavoravano insieme, e una suora, forse una Madre superiora, li aiu-
tava (le chiesero se potevano avere un martello e
qualche chiodo), e delle ricoverate col grembiale a
quadretti facevano capolino incuriosite, e – Vado

io! – disse una ragazza con la testa grossa, supe-
rando le compagne, e corse, ridendo, e ritornò coi
chiodi, il martello, poi spostò una panca.

A quei suoi gesti eccitati si svelava là nei cortili
piovosi tutto un concorso, un'eccitazione per queste elezioni, come un'insolita festa. Cos'era? Cos'e-
ra questa cura nell'appendere per bene quei manifesti come bianchi lenzuoli (bianchi, come paiono i
manifesti ufficiali, pur con tutto il loro inchiostro
nero che nessuno legge), che accomunava un gruppo di cittadini, tutti certo «inseriti nella vita produt-
tiva», e delle monache, delle povere ragazze che
del mondo conoscevano solo quello che si vede andando dietro i funerali? Amerigo sentiva ormai in
questo concorde affannarsi la nota falsa: in loro del
seggio, era l'impegno che si mette durante il servizio militare a risolvere delle difficoltà che ti sono
imposte e i cui fini ti rimangono estranei; nelle monache e nelle ricoverate era come se si stessero pre-
parando lì intorno delle trincee, contro un nemico,
un assalitore: e questo subbuglio delle elezioni fosse appunto la trincea, la difesa, ma insieme in qualche modo anche il nemico.

Così, quando i componenti del seggio furono al
loro posto, in attesa nella sala vuota, e fuori cominciò a muoversi il piccolo gruppo che s'era formato,
di persone che volevano sbrigarsi subito a votare,
la guardia civica a far entrare i primi, era in tutti loro la certezza di quello che stavano facendo ma anche il presentimento di qualcosa d'assurdo. I primi
votanti erano dei vecchietti – ricoverati, o artigiani
al servizio dell'istituto, o le due cose insieme –,
qualche monaca, un prete, delle donne anziane
(già Amerigo pensava che questa poteva essere
una sezione elettorale non troppo diversa dalle altre): come se la contestazione che là sotto covava
avesse scelto di presentarsi nel suo aspetto più ras-

sicurante (rassicurante per gli altri, che dall'elezione aspettavano la conferma dell'antico; di depri-
mente normalità per Amerigo), ma nessuno se ne
sentisse rassicurato (neanche gli altri), e tutti stessero invece lì ad aspettare che da quei recessi invisibili si manifestasse una presenza, forse una sfida.

E ci fu una pausa nel flusso dei votanti, e si sentì
un passo, come un arrancare, anzi un battere d'assi, e tutti quelli del seggio guardarono alla porta.
Sulla porta apparve una donnetta, bassa bassa, seduta su uno sgabello; ossia, non propriamente seduta, perché non posava le gambe per terra, né le
penzolava, né le teneva ripiegate. Non c'erano, le
gambe. Questo sgabello, basso, quadrato, un panchetto, era coperto dalla gonna, e sotto – sotto alla
vita, alle anche della donna – non pareva che ci
fosse più niente: spuntavano solo le gambe del
panchetto, due assi verticali, come le zampe d'un
uccello. – Avanti! – disse il presidente del seggio e
la donnetta cominciò ad avanzare, ossia spingeva
avanti una spalla e un'anca e il panchetto si spostava di sbieco da quella parte, e poi spingeva l'altra
spalla e l'altra anca, e il panchetto descriveva un altro quarto di giro di compasso, e così saldata al suo
panchetto arrancava per la lunga sala verso il tavolo, protendendo il certificato elettorale.

IV

A tutto ci si abitua, più in fretta di quanto non si creda. Anche a veder votare i ricoverati del «Cottolengo». Dopo un poco, già sembrava la vista più usuale e monotona, per quelli di qua del tavolo: ma di là, nei votanti, continuava a serpeggiare il fermento dell'eccezione, della rottura della norma. Le elezioni in sé non c'entravano: chi ne sapeva nulla? Il pensiero che li occupava pareva essere soprattutto quello dell'insolita prestazione pubblica richiesta a loro, abitatori d'un mondo nascosto, impreparati a recitare una parte di protagonisti sotto l'inflessibile sguardo di estranei, di rappresentanti d'un ordine sconosciuto; soffrendone alcuni, moralmente e nel fisico (avanzavano barelle con malati e arrancavano le grucce di sciancati e paralitici), altri ostentando una specie di fierezza, come d'un riconoscimento finalmente giunto della propria esistenza. C'era dunque in questa finzione di libertà che era stata loro imposta – si domandava Amerigo – un barlume, un presagio di libertà vera? O era solo l'illusione, per un momento e basta, d'esserci, di mostrarsi, d'avere un nome?

Era un'Italia nascosta che sfilava per quella sala, il rovescio di quella che si sfoggia al sole, che cammina le strade e che pretende e che produce e che consuma, era il segreto delle famiglie e dei paesi, era anche (ma non solo) la campagna povera col

suo sangue avvilito, i suoi connubi incestuosi nel
buio delle stalle, il Piemonte disperato che sempre
stringe dappresso il Piemonte efficiente e rigoroso,
era anche (ma non solo) la fine delle razze quando
nel plasma si tirano le somme di tutti i mali dimenticati d'ignoti predecessori, la lue taciuta come una
colpa, l'ubriachezza solo paradiso (ma non solo,
ma non solo), era il rischio d'uno sbaglio che la
materia di cui è fatta la specie umana corre ogni
volta che si riproduce, il rischio (prevedibile del resto in base al calcolo delle probabilità come nei gio-
chi di fortuna) che si moltiplica per il numero delle
insidie nuove, i virus, i veleni, le radiazioni dell'u-
ranio... il caso che governa la generazione umana
che si dice umana proprio perché avviene a caso...

E che cos'era se non il caso ad aver fatto di lui
Amerigo Ormea un cittadino responsabile, un elettore cosciente, partecipe del potere democratico, di
qua del tavolo del seggio, e non – di là del tavolo –,
per esempio, quell'idiota che veniva avanti ridendo
come se giocasse?

Di fronte al presidente del seggio, l'idiota scattò
sull'attenti, fece il saluto militare, porse i documenti: carta d'identità, certificato elettorale, tutto in regola.

– Bravo, – fece il presidente.

Quello prese la scheda, la matita, sbatté di nuovo i tacchi, rifece il saluto, marciò sicuro verso la
cabina.

– Questi sì che sono elettori come si deve, – disse forte Amerigo, pur rendendosi conto che era
una battuta banale e di cattivo gusto.

– Poveretti, – disse la scrutatrice in blusa bianca,
e poi: – Mah! Beati loro...

Amerigo, velocemente, pensò al Discorso della
Montagna, alle varie interpretazioni dell'espressione «poveri di spirito», a Sparta e a Hitler che sop-

primevano gli idioti e i deformi; pensò al concetto d'eguaglianza, secondo la tradizione cristiana e secondo i principî dell'89, poi alle lotte della democrazia durante tutto un secolo per imporre il suffragio universale, agli argomenti che opponeva la polemica reazionaria, pensò alla Chiesa che da ostile era diventata favorevole; e ora al nuovo meccanismo elettorale della «legge-truffa» che avrebbe dato maggior potere al voto di quel povero idiota che al suo.

Ma questo suo implicito considerare il proprio voto come superiore a quello dell'idiota, non era già un riconoscere che la vecchia polemica antiegualitaria aveva la sua parte di ragione?

Altro che «legge-truffa». La trappola era scattata da un pezzo. La Chiesa, dopo un lungo rifiuto, aveva preso in parola l'eguaglianza dei diritti civili di tutti gli uomini, ma al concetto d'uomo come protagonista della Storia aveva sostituito quello di carne d'Adamo misera e infetta e che pur sempre Dio può salvare con la Grazia. L'idiota e il «cittadino cosciente» erano uguali in faccia all'onniscienza e all'eterno, la Storia era restituita nelle mani di Dio, il sogno illuminista messo in scacco quando pareva che vincesse. Lo scrutatore Amerigo Ormea si sentiva un ostaggio catturato dall'esercito nemico.

V

A una divisione del lavoro tra scrutatori si arrivò spontaneamente: uno cercava i nomi sul registro, un altro li depennava su un elenco, un terzo controllava i documenti d'identità, uno indirizzava i votanti a questa o quella cabina, a seconda di quali erano libere. Si formò presto una naturale intesa tra loro, a sbrigare quelle incombenze nella maniera più svelta senza confusione, e anche una certa alleanza nei confronti del presidente, uomo vecchio, lento, timoroso di fare errori, che bisognava gli stessero addosso tutti insieme, a forzarlo mostrandosi decisi ogni volta che stava per perdersi in un bicchier d'acqua.

Ma oltre a questa divisione pratica dei compiti, prendeva forma l'altra, la vera, che li opponeva tra loro. Il primo a scoprirsi fu una delle due donne, quella col golfino arancione, nervosa: cominciò a sollevare obiezioni per via d'una vecchia, uscita dalla cabina sventolando la scheda aperta. – Voto nullo! Ha mostrato il voto!

Il presidente disse che lui non aveva visto niente. – Torni in cabina, pieghi bene la scheda, da brava! – fece alla vecchia; e alla scrutatrice: – Ci vuol pazienza… Ci vuol pazienza…

– La legge è legge, – insisté la scrutatrice, dura.

– Se non c'è cattiva intenzione, – disse uno scrutatore, uno smilzo, occhialuto, – si può chiudere un occhio…

«Gli occhi siamo qui per tenerli aperti», avrebbe potuto intervenire Amerigo, a quel punto, a sostegno della donna col golf arancione, ma sentiva desiderio, invece, di socchiuderli, gli occhi, come se quella processione di ricoverati emanasse un fluido ipnotico, lo facesse prigioniero d'un mondo diverso.

Era, per lui estraneo, una processione uniforme, in maggioranza di donne, tra le quali faticava a distinguere le differenze: c'erano quelle in grembiale a quadri e quelle in nero con cuffia e scialletto, e le monache bianche e nere e grige, e chi abitava al «Cottolengo» e chi pareva arrivasse da fuori apposta per il voto. Per lui, tanto, erano tutte della stessa partita, beghine senza età, che votavano allo stesso modo, e così sia.

(D'improvviso gli venne da pensare a un mondo in cui non ci fosse più la bellezza. Ed era alla bellezza femminile che pensava).

Queste ragazze con le trecce, magari orfane o trovatelle allevate dall'istituto e destinate a restar lì tutta la vita, a trent'anni hanno ancora l'aria un po' infantile, non si distingue se perché un po' attardate di mente o perché sono vissute sempre lì, e si direbbe passino direttamente dall'infanzia alla vecchiezza. Si somigliano come fossero sorelle, ma in mezzo ad ogni gruppo se ne distingue sempre una più brava, che fa la diligente a ogni costo, spiega alle altre come si fa a votare, e per quelle che sono senza documenti va a firmare che le conosce, come è previsto dalla legge.

(Rassegnato a passare tutta la giornata tra quelle creature opache, Amerigo sentiva un bisogno struggente di bellezza, che si concentrava nel pensiero della sua amica Lia. E quello che ora ricordava di Lia era la pelle, il colore, e soprattutto un punto del suo corpo – dove la schiena fa un arco, netto e teso a percorrere con la mano, e poi subito s'alza dolcissima la curva dei fianchi –, un punto in cui ora gli pareva si concentrasse la bellezza del mondo, lontanissima, perduta).

Una delle «brave» già aveva firmato per altre quattro. Arrivò senza carta d'identità una di quelle tutte in nero che Amerigo non sapeva se erano monache o cosa. – Conosce nessuno? – le chiese il presidente. Quella faceva di no, sbigottita.

(Cos'è questo nostro bisogno di bellezza? si domandava Amerigo. Un carattere acquisito, un riflesso condizionato, una convenzione linguistica? E cos'è, in sé, la bellezza fisica? Un segno, un privilegio, un dato irrazionale della sorte, come – tra costoro – la bruttezza, la deformità, la minorazione? O è un modello via via diverso che noi ci fingiamo, storico più che naturale, una proiezione dei nostri valori di cultura?)

Il presidente insisteva: – Si guardi intorno se c'è qualcuno che conosce, che possa testimoniare.

(Amerigo pensava che invece d'esser lì avrebbe potuto passare la domenica tra le braccia di Lia, e questo suo rimpianto ora non gli pareva in contrasto con il dovere civile che l'aveva portato a fare lo scrutatore: anche far sì che la bellezza del mondo non passi inutilmente – pensava – è Storia, è opera civile...)

La donnetta nera muoveva gli occhi intorno senza raccapezzarsi, e allora saltò fuori la solita «brava» e disse: – La conosco io!

(La Grecia... pensava Amerigo. Ma porre la bellezza troppo in alto nella scala dei valori, non è già il primo passo verso una civiltà disumana, che condannerà i deformi a esser gettati dalla rupe?)

– Ma conosce tutti, quella lì! – si levò la voce acuta della donna in arancione. – Presidente, le domandi un po' se sa il nome.

(Per pensare alla sua amica Lia ora Amerigo sentiva come di dover chiedere scusa a quel mondo deserto di bellezza che per lui era diventato la realtà, e Lia appariva nel ricordo come non vera, una parvenza. Era tutto il mondo di fuori a diventare parvenza, nebbia, mentre questo, di mondo, questo del «Cottolengo», ora riempiva talmente la sua esperienza che pareva il solo vero).

La «brava» era già venuta avanti, prendeva la penna per firmare il registro. – Conosce, è vero, Carminati Battistina? – fece il presidente, tutto d'un fiato, e quella, pronta: – Sì, sì, Carminati Battistina, – e firmava.

(Un mondo, il «Cottolengo», – pensava Amerigo, – che potrebbe essere il solo mondo al mondo se l'evoluzione della specie umana avesse reagito diversamente a qualche cataclisma preistorico o a qualche pestilenza... Oggi, chi potrebbe parlare di minorati, di idioti, di deformi, in un mondo interamente deforme?)

– Presidente! Che riconoscimento è? Se gliel'ha detto lei! – s'infuriò la arancione. – Provi un po' a chiedere alla Carminati se riconosce l'altra...

(... Una via che ancora l'evoluzione potrebbe prendere, rifletteva Amerigo, se è vero che le radiazioni atomiche agiscono sulle cellule che racchiudono i caratteri della specie. E il mondo potrà venir popolato da generazioni d'esseri umani che per noi sarebbero stati mostri, ma che per loro stessi saranno esseri umani nel solo modo in cui si potrà essere umani...)

Il presidente era già smarrito. – Eh, la conosce, lei? Eh, lo sa chi è? – faceva, e non si sapeva più a chi si rivolgesse.

– Non so, non so, – balbettava la nera, spaventata.

– Ma certo che la conosco, era al padiglione Sant'Antonio l'anno scorso, no? – protestava la «brava», torcendo il viso verso la scrutatrice arancione, che rimbeccava: – E allora le faccia dire il suo nome!

(Se il solo mondo al mondo fosse il «Cottolengo», pensava Amerigo, senza un mondo di fuori che, per esercitare la sua carità, lo sovrasta e schiaccia e umilia, forse anche questo mondo potrebbe diventare una società, iniziare una sua storia...)

Lo scrutatore smilzo intervenne anche lui contro quella del golf arancione: – Vivono qui, si vedono tutti i giorni: si conoscono, no?

(Di una diversa possibilità d'essere dell'umanità ci si ricorderebbe come nelle favole, d'un mondo di giganti, un Olimpo... Come capita a noi: che forse siamo, senza rendercene conto, deformi, minorati, rispetto a una diversa possibilità d'essere, dimenticata...)

– Se non si conoscono per nome, non è valido! – insisteva quella in arancione.

(E più la possibilità che il «Cottolengo» fosse l'unico mondo possibile lo sommergeva, più Amerigo si dibatteva per non esserne inghiottito. Il mondo della bellezza svaniva all'orizzonte delle realtà possibili come un miraggio e Amerigo ancora nuotava nuotava verso il miraggio, per riguadagnare questa riva irreale, e davanti a sé vedeva Lia nuotare, il dorso a filo del mare).

– Certo se a far rispettare la legalità in questo seggio ci sono io sola... – diceva l'arancione, volgendosi intorno con disappunto. Gli altri scrutatori infatti guardavano le loro carte, come occupati a tutt'altro, come cercassero di scostare la questione solo opponendole un atteggiamento distratto, appena appena infastidito, e Amerigo pure, Amerigo che era lì apposta per dare man forte a lei, naviga-

va in pensieri lontani, come in sogno. E nella parte
sveglia di sé, rifletteva che, tanto, quelli ci sarebbero riusciti comunque, a far votare senza documenti
chi volevano.

Sostenuto dallo scrutatore smilzo, il presidente
trovò la forza d'uscire dalla sua incertezza e dire:
– Per me il riconoscimento è valido.

– Posso far mettere a verbale che mi oppongo? –
disse l'altra, ma l'aver posto la questione come una
domanda era già un darsi per sconfitta.

– Non c'è da mettere a verbale proprio niente, –
disse lo smilzo.

Amerigo girò dietro il tavolo, passò alle spalle
della donna arancione e disse piano: – Calma, compagna, aspettiamo –. La donna lo guardò interro-
gativa. – Qui non vale la pena d'impuntarsi. Verrà
il momento. – Quella s'acquetò. – Dobbiamo sollevare un caso generale.

VI

Per un momento Amerigo fu soddisfatto di se stesso, della sua calma, del suo autocontrollo. La norma costante del suo comportamento avrebbe voluto fosse questa, nella politica come in ogni altra cosa: diffidenza tanto dall'entusiasmo, sinonimo d'ingenuità, quanto dall'astiosità faziosa, sinonimo d'insicurezza, debolezza. Corrispondeva, quest'atteggiamento, a una abitudine tattica del suo partito, prontamente assimilata da lui, perché gli serviva da corazza psicologica, per dominare gli ambienti estranei e ostili.

Però, ripensandoci, questo suo desiderio d'aspettare, di non intervenire, di puntare su un «caso generale», non erano dettati da un suo senso di inutilità, di rinuncia, in fondo di pigrizia? Amerigo si sentiva già troppo scoraggiato per sperare di prendere qualsiasi iniziativa. La sua battaglia legalitaria contro le irregolarità e i brogli non era ancora cominciata e già tutta quella miseria gli era calata addosso come una valanga. Che facessero presto, con tutte le loro barelle e stampelle, che s'affrettassero a compiere questo plebiscito di tutti i vivi e i moribondi e magari anche i morti: non era con le limitate ragioni formali di cui disponeva uno scrutatore che la valanga poteva essere fermata.

Cosa era venuto a fare, al «Cottolengo»? Altro che rispetto della legalità! Bisognava ricominciare da capo, da zero: era il senso primo delle parole e delle istituzioni che andava rimesso in discussione, per stabilire il diritto della persona più indifesa a non essere usata come strumento, come oggetto. E questo, oggi, al punto in cui ci si trovava, al punto in cui le elezioni al «Cottolengo» venivano scambiate per un'espressione di volontà popolare, pareva talmente lontano, da non poter essere invocato che attraverso un'apocalissi generale.

Era nell'estremismo, come già in un vuoto d'aria, che si sentiva risucchiato. E, con l'estremismo, riusciva a giustificare l'abulia e l'accidia, metteva subito a posto la sua coscienza: se di fronte a un'impostura come questa egli restava fermo e zitto, come paralizzato, era perché in queste cose o tutto o niente, o si faceva tabula rasa o si accettava.

E Amerigo si chiudeva come un riccio, in una opposizione che era più vicina a uno sdegno aristocratico che alla calorosa elementare partigianeria popolare. Tant'è vero che la vicinanza d'altre persone della sua parte, invece di dargli forza, gli comunicava una specie di fastidio, e agli interventi per esempio della scrutatrice arancione era preso da una reazione contraria, quasi avesse paura di assomigliarle. Si buttava allora coi suoi pensieri nella direzione d'un possibilismo tanto agile da permettergli di vedere con gli occhi stessi dell'avversario le cose che dianzi l'avevano sdegnato, per poi ritornare a sperimentare con più freddezza le ragioni della sua critica e tentare un giudizio finalmente sereno. Anche qui agiva in lui – più che uno spirito di tolleranza e adesione verso il prossimo – il bisogno di sentirsi superiore, capace di pensare tutto il pensabile, anche i pensieri degli avversari, capace di comporre la sintesi, di scorgere dovunque i disegni della Storia, come dovrebb'essere prerogativa del vero spirito liberale.

In quegli anni in Italia il partito comunista s'era assunto, tra i molti altri compiti, anche quello d'un ideale, mai esistito, partito liberale. E così il petto d'un singolo comunista poteva albergare due persone insieme: un rivoluzionario intransigente e un liberale olimpico. Più il comunismo mondiale s'era fatto, in quei tempi duri, schematico e senza sfumature nelle sue espressioni ufficiali e collettive, più accadeva che, nel petto di un singolo militante, quel che il comunista perdeva di ricchezza interiore uniformandosi al compatto blocco di ghisa, il liberale acquistasse in sfaccettature e iridescenze.

Forse era segno che la vera natura di Amerigo – e di molti come lui – sarebbe stata, se lasciata a se stessa, quella del liberale, e che solo per un processo – appunto – d'identificazione col diverso egli poteva esser definito un comunista? Domandarselo voleva dire per Amerigo chiedersi cos'era l'essenza d'una identità individuale (se mai esisteva...), al di fuori delle condizioni esterne che la determinavano. Saldare in lui – e in tanti come lui – quei differenti metalli, era «compito della Storia» – egli pensava –, cioè un fuoco al di là di loro (che superava gli individui, con tutte le loro debolezze)...

Quel fuoco che riverberava, sia pur fievole, perfino in quella sezione elettorale, in quanti erano lì presenti al seggio, e a poco a poco si scopriva in ognuno, diverso nel grado d'intensità, di temperatura individuale che mettevano nel rappresentare la loro parte: l'oscillazione di Amerigo, l'impazienza della donna in arancione, (una del partito socialista, come egli apprese appena poterono appartarsi e parlare), il bisogno del giovane democristiano smilzo di credersi (e non era proprio il caso) su un fronte di battaglia insidiato dai nemici, l'apprensivo formalismo del presidente, che gli veniva dalla sua scarsa convinzione nel sistema, e, per la scrutatrice in blusa bianca, (che non perdeva occasione per marcare il suo dissenso dalla collega), un bisogno di sentirsi edificata e protetta dallo scandalo della disobbedienza.

Quanto agli altri del seggio (democristiani tutti anche loro, o giù di lì) parevano preoccupati soltanto di smussare i contrasti: che qua dentro si votava in una sola maniera lo sapevano tutti, no? e allora, perché agitarsi, perché cercare grane? Non c'era che da accettare le cose come stavano, amici o avversari che si fosse.

Anche tra i votanti, variava la considerazione di quel che stavano facendo. Per i più l'atto del voto occupava un posto minimo nella coscienza, era una crocetta da segnare con la matita su di un segno stampato, qualcosa che si doveva fare come era stato loro insegnato con tanta cura, come il modo di comportarsi in chiesa o di tenere in ordine la branda. Privi di dubbi che si potesse far altrimenti che così, concentravano i loro sforzi nell'esecuzione pratica, già di per sé tale – specie per gli invalidi e gli attardati – da impegnarli interamente.

Per altri invece, più emotivi, oppure indottrinati secondo un diverso sistema didattico, la votazione pareva si svolgesse in mezzo a pericoli e inganni; tutto era motivo di diffidenza, d'offesa, di paura. Soprattutto certe monache vestite di bianco: avevano l'ossessione delle schede macchiate. Una entrava in cabina, ci si fermava per cinque minuti, poi usciva senza aver votato. – Ha votato? No? Perché? – La suora protendeva la scheda aperta e intatta e indicava un qualche puntolino più chiaro o più scuro. – È macchiata! – protestava con voce adirata, al presidente. – Me la cambi!

Le schede erano stampate su una carta ordinaria, verdastra, fatta d'una pasta granulosa, piena d'impurità, sbavata d'ombre d'inchiostro tipografico da parte a parte. Ormai si sapeva che ogni volta che veniva a votare una di quelle suore bianche si ripe- teva la scena della scheda rifiutata. Non si riusciva a convincerle che si trattava solo di difetti del mate- riale, che non potevano far invalidare il voto. Più si insisteva più le piccole suore si facevano testarde: una – una vecchia, scura, che veniva d'in Sardegna – addirittura s'infuriò. Certamente avevano avuto su quella storia delle macchie chissà quali racco- mandazioni particolari: che stessero attente, nel seggio c'erano i comunisti che macchiavano appo- sta le schede delle suore, per rendere nulli i loro voti.

Terrorizzate: ecco com'erano, queste monachine bianche. E nel cercare di far loro intendere ragione, il seggio era solidale: anzi erano proprio il presi- dente e lo scrutatore smilzo che ci s'arrabbiavano di più, a non essere creduti, a sentirsi trattati come nemici infidi. Anch'essi, con Amerigo, si doman- davano cosa mai avessero potuto dire, a queste po- vere donne, per spaventarle così, di quali orrori potevano averle minacciate, descrivendo loro la vit- toria comunista incombente, per un solo voto per- so. Un bagliore di guerra di religione investiva il seggio per un momento, poi si spegneva in nulla: e il disbrigo delle operazioni riprendeva il suo corso normale, sonnacchioso, burocratico.

VII

Il compito che ora gli toccava, nella divisione del lavoro tra i componenti del seggio, era di controllare i documenti d'identità. Venivano a votare stormi di monache, a centinaia: prima le bianche, poi le nere. Coi documenti, quasi tutte, erano a posto: la carta d'identità rilasciata pochi giorni prima, nuova nuova. Nelle settimane precedenti le elezioni, gli uffici dell'anagrafe dovevano aver lavorato notte e giorno per mettere in regola interi ordini religiosi. E i fotografi pure: sotto gli occhi di Amerigo continuavano a passare fotografie e fotografie formato tessera, tutte ugualmente ripartite di spazi bianchi e neri, l'ogiva del viso incorniciata dalle bianche bende e dal trapezio del pettorale, il tutto inscritto nel triangolo nero del velo. E doveva dir questo: o il fotografo delle monache era un grande fotografo, o sono le monache che in fotografia riescono benissimo.

Non soltanto per l'armonia di quell'illustre motivo figurativo che è l'abito monacale, ma perché i visi venivano fuori naturali, somiglianti, sereni. Amerigo s'accorse che questo controllo dei documenti delle suore diventava per lui una specie di riposo dello spirito.

A pensarci, era strano: nelle fotografie formato tessera, novanta casi su cento, uno viene con gli occhi sbarrati, i lineamenti gonfi, un sorriso che

non lega. Almeno, lui era sempre così che riusciva,
e adesso, controllando queste carte d'identità, in
ogni foto in cui trovava sembianze tese, atteggiate
a espressioni innaturali, riconosceva la sua stessa
mancanza di libertà di fronte all'occhio di vetro che
ti trasforma in oggetto, il suo rapporto privo di di-
stacco verso se stesso, la nevrosi, l'impazienza che
prefigura la morte nelle fotografie dei vivi.

Le monache no: posavano di fronte all'obiettivo
come se il volto non appartenesse più a loro: e a
quel modo riuscivano perfette. Non tutte, si capisce, (Amerigo ora leggeva nelle foto delle suore come un cartomante: riconosceva quelle ancora strette dall'ambizione terrena, quelle mosse dall'invidia, dalle passioni non spente, quelle che lottavano
contro se stesse e la loro sorte): bisognava avessero
passato come una soglia, dimenticandosi di sé, e
allora la fotografia registrava quest'immediatezza e
pace interiore e beatitudine. È segno che una beatitudine esiste? si domandava Amerigo, (questi problemi, a lui poco consueti, era portato a connetterli
con il buddismo, il Tibet), e, se esiste, allora va
perseguita? Va perseguita a scapito d'altre cose,
d'altri valori, per essere come loro, le monache?

O come gli idioti completi? Anche quelli, nelle
loro carte d'identità fresche di stampa, si mostrava-
no felici e fotogenici. Anche per loro il dare immagine di sé non costituiva problema: voleva dire che
il punto cui la vita monacale porta attraverso una
via faticosa, loro l'hanno per sorte dalla natura?

Invece, quelli che restano a metà strada, i minorati, i disadatti, i tardi, i nevrotici, quelli per cui la
vita è difficoltà e sbigottimento, in fotografia sono
uno strazio: con quei colli tesi, quei sorrisi come da
lepri, specialmente le donne, quando loro resta
una misera speranza di riuscir graziose.

Portavano una monaca in barella. Era una giovane. Stranamente era una bella donna. Tutta vestita come fosse morta, il viso, colorito, appariva composto come nei quadri di chiesa. Amerigo avrebbe voluto non essere attratto a guardarla. La lasciarono in cabina sulla barella, con uno sgabello vicino, che facesse anche lei la sua crocetta. Ad Amerigo, sul tavolo, mentre lei era di là, restava il documento. Guardò la fotografia; ebbe spavento. Era, con gli stessi lineamenti, un viso d'annegata al fondo d'un pozzo, che gridava con gli occhi, trascinata giù nel buio. Capì che tutto in lei era rifiuto e divincolamento: anche il giacere immobile e malata.

È bene avere la beatitudine? O è migliore quest'ansia, questa carica che irrigidisce i volti al lampo del fotografo e non ci fa contenti di come siamo? Pronto sempre a comporre gli estremi, Amerigo avrebbe voluto continuare a scontrarsi con le cose, a battersi, eppure intanto raggiungere dentro di sé la calma al di là di tutto... Non sapeva cosa avrebbe voluto: capiva solo quant'era distante, lui come tutti, dal vivere come va vissuto quello che cercava di vivere.

VIII

Gli abusi che uno scrutatore d'opposizione può utilmente contestare durante le votazioni al «Cottolengo» sono classificabili in un limitato numero di casi. Prendersela perché fanno votare degli idioti, per esempio, non porta a grandi risultati: quando i documenti sono in regola e l'elettore è in grado d'andare in cabina da solo, cosa si può dire? Non c'è che da lasciarlo andare, magari sperando (ma capita di rado) che non gli abbiano insegnato bene, che si sbagli, e aumenti il numero delle schede nulle. (Ora, finita l'infornata delle monache, era il turno d'una schiera di giovinotti somiglianti come fratelli nelle facce storte, vestiti di quello che doveva essere l'abito buono, come se ne vedono in fila per la città nelle domeniche di bel tempo, e la gente se li indica: «Guarda i *cutu*»). Anche la donna in arancione con loro era quasi incoraggiante.

I casi in cui bisogna stare più all'erta sono quando un certificato medico autorizza la ricoverata semicieca, o il paralitico, o il senza mani, a essere accompagnato in cabina da una persona di fiducia (monaca o prete, al solito) che faccia la crocetta per lui. Con questo sistema, tanti disgraziati incapaci d'intendere e volere, che mai sarebbero stati in grado di votare anche se avessero avuto vista e uso delle mani, sono promossi al rango d'elettori di sicura osservanza.

In quei casi lì un certo margine per le contestazioni del seggio ci rimane quasi sempre; per esempio, un certificato di vista fortemente diminuita: lo scrutatore può subito piantare una grana. – Presidente, ci vede! Può andare a votare da solo! – esclamava l'arancione. – Gli ho sporto la matita e lui ha allungato la mano e l'ha presa!

Era un poveretto dal collo storto e gozzuto. Il prete che l'accompagnava era di corporatura spessa e faccia brusca, con in testa un basco ben calcato, un'aria dura, pratica, un po' come un camionista; era da un pezzo che si dava da fare a portare elettori avanti e indietro. Mise avanti il palmo della mano, verticale, col foglio schiaffato sopra, e ci batté con l'altra mano: – Certificato medico. Qui c'è che non ci vede.

– Ci vede meglio di me! Ha preso le due schede: s'è accorto che erano due!

– Ne vuol sapere più dell'oculista?

Il presidente, per prender tempo, faceva finta di cadere dalle nuvole. – Cos'è che c'è? Cos'è che c'è? – Bisognava spiegargli tutto da capo.

– Proviamo a farlo andare in cabina da solo, – diceva la donna. Il gozzuto già andava.

– E no! – faceva il prete. – E se sbaglia?

– Già: se sbaglia è perché non sa votare! – ribatteva l'arancione.

– Ma perché si accanisce con un poveretto? Vergogna! – faceva l'altra scrutatrice, quella in bianco, alla collega.

Era il momento in cui interveniva Amerigo. – Si potrebbe provare se veramente la vista...

– Il certificato è valido o no? – faceva il prete.

Il presidente osservava il foglio in lungo e in largo come fosse una banconota. – Eh già! È valido...

– È valido solo se dice la verità, – obiettava Amerigo.

– È vero che non ci vede? – chiese il presidente al gozzuto. Il gozzuto guardava di sotto in su, con quel suo collo storto. Non parlò: si mise a piangere.

– Protesto! Intimoriscono l'elettore! – disse lo scrutatore smilzo.

– Così un poveretto! – disse la scrutatrice anziana. – Si dice non aver compassione!

– Visto che la maggioranza del seggio è d'accordo... – fece il presidente.

– Io mi oppongo! – disse l'arancione.

– Anch'io, – fece Amerigo.

– Cos'è questa storia? – fece il prete, al presidente, brusco, come prendendosela con lui. – Impediscono il voto a un elettore? Presidente, lei non dice niente?

Il presidente decise che era il momento di perdere la pazienza, di fare una sfuriata, la sfuriata più violenta che poteva riuscire a un uomo mite e piagnucoloso quale in fondo egli era: – Ma ma ma ma, – fece, – ma cos'è che ce l'avete tanto su! Ma perché non lo lasciate, il votante, che voti? Ma perché uno gli volete impedire? Sono qui, poverini, che la Piccola Casa della Divina Provvidenza li ha tenuti fin da piccoli! E quando vogliono dimostrare la loro gratitudine, poverini, gli volete impedire! La gratitudine a chi gli ha fatto del bene! Ma non ne avete, sentimento?

– Nessuno vuole impedire la gratitudine, presidente, – disse Amerigo. – Qui stiamo facendo le elezioni politiche. Si tratta di controllare che ognuno sia libero di votare secondo la sua idea. Che c'entra la gratitudine?

– E che idea vuole che ci abbiano più che la gratitudine? Povere creature che nessuno le vuole! Qui

hanno chi gli vuol bene, li tiene qui, gli insegna!
Ce l'hanno la volontà di votare! Più loro che tutti
quelli che son fuori! Perché sanno cos'è la carità!

Amerigo mentalmente ricostruì il loro pensiero,
registrò la loro implicita calunnia, («Ecco, vogliono
dire che il "Cottolengo" è possibile solo grazie alla
religione e alla Chiesa, e i comunisti saprebbero solo distruggerlo, e quindi il voto dei disgraziati è
una difesa della carità cristiana...»), se ne adontò e,
nello stesso tempo, confutandola con la sua certezza di superiorità («non sanno che solo il nostro è
umanesimo totale...») la cancellò come se non fosse mai esistita, tutto nello spazio d'un secondo («...
e che noi e solo noi potremo organizzare istituti
cento volte più efficienti di questo!»), ma ciò che
disse fu: – Scusi, presidente, questa è un'elezione
politica, si sceglie tra i candidati dei vari partiti...
(– Non si metta a far propaganda nel seggio! – inter-
ruppe lo smilzo), – ... non è che si voti pro o contro
il «Cottolengo»... Quindi, le cose che lei dice, la
gratitudine da dimostrare... Gratitudine a chi?

Si levò la voce del prete, che era stato a sentire
fin allora col mento sul petto e le pesanti mani poggiate sul tavolo, guardando di traverso, sotto il
basco:

– Gratitudine a Dio nostro Signore, e basta.

Nessuno disse più nulla; presero a muoversi in
silenzio: l'uomo col gozzo si fece il segno della croce, la scrutatrice anziana assentì chinando il capo,
la giovane alzò lo sguardo con sopportazione, il segretario si rimise a scrivere, il presidente a controllare l'elenco, e così ognuno del seggio alle sue incombenze. Rimettendosi al parere della maggioranza, il presidente lasciò che il prete accompagnasse
nella cabina il gozzuto; Amerigo e la compagna socialista fecero mettere a verbale il loro disaccordo.
Poi Amerigo uscì a fumare.

IX

Era spiovuto. Anche dai cortili desolati si levava un
odore di terra e primavera. Qualche rampicante
fioriva un muro. Una scolaresca dietro un portico,
con in mezzo la monaca, giocava. Si udì un suono
lungo, forse un grido, oltre i muri, oltre i tetti: erano gli urli, i mugghi che si raccontava si levassero
nel «Cottolengo» giorno e notte dalle corsie degli
esseri nascosti? Il suono non si ripeté. Dalla porta
d'una cappella si sentiva un coro di donne. Intorno
era un andirivieni tra le sezioni elettorali installate
un po' in tutti i padiglioni, in aule al pianterreno o
al primo piano. Cartelli bianchi con numeri e frecce
nere spiccavano sui pilastri, sotto le vecchie targhe
annerite con nomi di santi. Passavano guardie del
Comune, con cartelle piene di fogli. I poliziotti
oziavano, con l'occhio torpido che non vede niente. Scrutatori d'altri seggi erano usciti, come Amerigo, a fumare una sigaretta e a fissare l'aria del
cielo.

«Gratitudine a Dio». Gratitudine per le sventure? Amerigo cercava di farsi passare il nervoso ri-
flettendo (la teologia gli era poco familiare) a Vol-
taire, Leopardi, (la polemica contro la bontà della
natura e della provvidenza), poi – naturalmente –
Kierkegaard, Kafka, (il riconoscimento d'un dio
imperscrutabile agli uomini, terribile). Le elezioni,
qui, a non starci attenti, diventavano una specie di

atto religioso. Per la massa dei votanti, ma anche
per lui: l'attenzione dello scrutatore ai possibili
brogli finiva per esser catturata da un broglio meta-
fisico. Visti da qui, dal fondo di questa condizione,
la politica, il progresso, la storia, forse non erano
nemmeno concepibili, (siamo in India), ogni sforzo
umano per modificare ciò che è dato, ogni tentativo di non accettare la sorte che tocca nascendo;
erano assurdi. (È l'India, è l'India, pensava, con la
soddisfazione d'aver trovato la chiave, ma anche il
sospetto di star rimuginando dei luoghi comuni).

Quest'accolta di gente menomata non poteva esser chiamata in causa, nella politica, che per testimoniare contro l'ambizione delle forze umane.
Questo voleva dire il prete: qui ogni forma del fare
(anche il votare alle elezioni) si modellava sulla
preghiera, ogni opera che si compiva qui (il lavoro
di quella piccola officina, la scuola di quell'aula, le
cure di quell'ospedale), aveva solo il significato di
variante dell'unica attitudine possibile: la preghiera, ossia il farsi parte di Dio, ossia (Amerigo azzar-
dava definizioni) l'accettare la pochezza umana, il
rimettere la propria negatività nel conto d'una totalità in cui tutte le perdite s'annullano, il consentire
a un fine sconosciuto che solo potrebbe giustificare
le sventure.

Certo, una volta ammesso che quando si dice
«uomo» s'intende l'uomo del «Cottolengo» e non
l'uomo dotato di tutte le sue facoltà (ad Amerigo
adesso, suo malgrado, le immagini che venivano in
mente erano quelle statuarie, forzute, prometeiche,
di certe vecchie tessere di partito), l'atteggiamento
più pratico diventava l'atteggiamento religioso,
cioè lo stabilire un rapporto tra la propria menoma-
zione e un'universale armonia e completezza (significava questo, riconoscere Dio in un uomo in-
chiodato a una croce?) Dunque progresso, libertà,

giustizia erano soltanto idee dei sani (o di chi potrebbe – in altre condizioni – essere sano) cioè idee di privilegiati, cioè idee non universali?

Già il confine tra gli uomini del «Cottolengo» e i sani era incerto: cos'abbiamo noi più di loro? Arti un po' meglio finiti, un po' più di proporzione nell'aspetto, capacità di coordinare un po' meglio le sensazioni in pensieri... poca cosa, rispetto al molto che né noi né loro si riesce a fare e a sapere... poca cosa per la presunzione di costruire noi la nostra storia...

Nel mondo-Cottolengo (nel nostro mondo che potrebbe diventare, o già essere, «Cottolengo») Amerigo non riusciva più a seguire la linea delle sue scelte morali (la morale porta ad agire; ma se l'azione è inutile?) o estetiche (tutte le immagini dell'uomo sono vecchie, pensava camminando tra quelle madonnette di gesso, quei santini; non a caso già i pittori coetanei d'Amerigo a uno a uno s'erano risolti all'astrattismo). Costretto per un giorno della sua vita a tener conto di quanto è estesa quella che vien detta la miseria della natura («E ancora grazie che non mi han fatto vedere che i più in gamba...») sentiva aprirsi sotto ai suoi piedi la vanità del tutto. Era questa, che chiamano una «crisi religiosa»?

«Ecco, uno esce un momento a fumare una sigaretta, – pensò, – e gli prende una crisi religiosa».

Però, qualcosa in lui faceva resistenza. Cioè: non in lui, nel suo modo di pensare, ma lì intorno, proprio nelle stesse cose e persone del «Cottolengo». Ragazze con le trecce s'affrettavano con ceste di lenzuola (verso – Amerigo pensò – qualche segreta corsia di paralitici o di mostri); camminavano gli idioti in squadre, comandati da uno che pareva appena meno idiota degli altri, (queste famose «famiglie» – si chiese con improvviso interesse sociologi-

co – come sono organizzate?); un angolo del cortile
era ingombro di calce e sabbia e impalcature perché
sopraelevavano un padiglione (come si ammini-
strano i lasciti? quanta parte va alle spese, agli am-
pliamenti, agli aumenti del capitale?) Della inutilità
del fare, il «Cottolengo» era la prova e insieme la
smentita.

Lo storicista, in Amerigo, riprendeva fiato: tutto
è storia, il «Cottolengo», queste monache che vanno a cambiare le lenzuola. (Storia magari rimasta
ferma in un punto del suo corso, incagliata, stra-
volta contro se stessa). Anche questo mondo dei
minorati poteva diventare diverso, e lo sarebbe certo diventato, in una società diversa. (Amerigo aveva in mente solo immagini vaghe: istituti di cura
luminosi, ultramoderni, sistemi pedagogici modello, ricordi di fotografie su giornali, un'aria fin troppo pulita, vagamente svizzera...)

La vanità del tutto e l'importanza d'ogni cosa
fatta da ognuno erano contenute tra le mura dello
stesso cortile. Bastava che Amerigo continuasse a
farne il giro e sarebbe incappato cento volte nelle
stesse domande e risposte. Tanto valeva tornarse-
ne al seggio; la sigaretta era finita; cosa aspettava
ancora? «Chi agisce bene nella storia, – provò a
concludere, – anche se il mondo è il "Cottolengo",
è nel giusto». E aggiunse in fretta: «Certo, essere
nel giusto è troppo poco».

X

Entrò in cortile un'auto nera e grossa. L'autista col berretto uscì ad aprire. Ne scese un uomo diritto, i capelli grigi, ben rasato. Portava un impermeabile chiaro di quelli con tanti bottoni e passanti, e il bavero mezzo su e mezzo giù. Ci fu un muovere di gente, i poliziotti facevano il saluto.

Lo scrutatore smilzo chiese al presidente sottovoce ehm essendo arrivato l'onorevole candidato del suo partito per favore il permesso d'assentarsi volendo andare un momento è vero a informarlo di come andavano le cose lì.

Il presidente gli rispose sottovoce ehm di aspettare perché siccome i parlamentari è vero hanno il diritto di entrare in tutte le sezioni forse sarebbe passato anche di lì.

Difatti venne. L'onorevole si muoveva nel «Cottolengo» con confidenza e fretta ed efficienza ed euforia. S'informò della percentuale dei votanti, rivolse qualche parola di bonario scherzo agli elettori che aspettavano in fila, come fosse in visita alle colonie marine. Lo scrutatore smilzo andò a dirgli qualcosa: probabilmente che c'era dell'ostruzionismo comunista, e come comportarsi con quelli che volevano fare un verbale ogni momento. Il deputato stette a sentirlo appena, perché di quel che succedeva là dentro voleva sapere lo stretto indispensabile, e senza troppo soffermarcisi. Fece un gesto

vago, rotatorio, come dire che tanto la macchina girava, girava bene, voti ce n'erano a milioni, e in
quei casi un po' spinosi, se la va subito va bene, altrimenti: via, presto, sorvolare!

Poi di punto in bianco, s'informò di qualcuno,
chiese a destra e a manca: – Dov'è la reverenda
Madre? Dov'è? – e uscì, tornò in cortile. La Madre,
avvertita, già veniva; lui le andò incontro, e le parlò da vecchio amico e come dandole rimproveri
scherzosi.

Volle continuare il giro delle Sezioni accompagnato dalla Madre. Un piccolo codazzo gli teneva
dietro, in gran parte rappresentanti di lista dei vari
seggi (ogni tanto uno si faceva avanti a raccontargli
qualche grana) e ragazzi del servizio di staffette del
partito (sempre in andirivieni con le liste degli elettori trasferiti in altri istituti ma ancora iscritti a votare lì, o comunque persone di cui bisognava organizzare il trasporto) e l'onorevole dava brevi ordini, sguinzagliava le staffette, gli autisti, rispondeva
a tutti prendendoli per il braccio, sul gomito, per
incoraggiamento ma anche per spingerli via subito.

A un certo punto le macchine del trasporto elettori erano tutte partite a raccogliere gente. Qualche
staffetta oziava, aspettando di fare un altro viaggio;
all'onorevole non piaceva vedere gente ferma e li
mandò via con la sua macchina. Così, avendo spe-
dito ciascuno a un'incombenza, il suo codazzo s'e-
ra diradato. L'onorevole si trovò solo, nel cortile, e
doveva aspettare che la sua macchina tornasse. Il
sole occupava metà del cielo; ma ancora, a sprazzi,
dalle nuvole cadeva qualche goccia. L'onorevole
ebbe quel momento di solitudine che provano i re e
i potenti quando hanno finito di dar ordini e vedono il mondo che gira da solo. Gettò intorno un'occhiata fredda, ostile.

Amerigo lo guardava d'attraverso una finestra. E

pensò: «A quello lì il Cottolengo non gli sfiora nemmeno la falda dell'impermeabile». (Era il pessimismo cattolico sulla natura umana che si poteva riconoscere sotto l'aria spregiudicata del parlamentare, ma ad Amerigo ora piaceva vederla come un lucido cinismo). E pensò anche: «È un uomo che ama la tavola, che fuma col bocchino di ciliegio. Forse ha un cane e va a caccia. Certo gli piacciono le donne. Forse è stato a letto ieri sera con una donna che non è sua moglie». (Magari era solo l'indulgenza cattolica verso la propria grigia coscienza di buon padre di famiglia borghese che dava al deputato quella parvenza gioviale, ma ad Amerigo ora piaceva vederla come spirito pagano, epicureo). E tutt'a un tratto l'avversione si trasformò in solidarietà: non erano forse, loro due, più simili che chiunque altro là dentro? Non appartenevano alla stessa famiglia, alla stessa parte, la parte dei valori terreni, della politica, della pratica, del potere? Non stavano tutti e due insieme dissacrando il feticcio del «Cottolengo», l'uno usandolo come una macchina elettorale e l'altro cercando di smascherarlo in questa sua funzione?

Guardando dalla finestra, s'accorse che a un altro davanzale, apparivano due occhi dietro il vetro, una testa che non riusciva a sporgere più in su del naso, una grossa scatola cranica coperta di peluria: un nano. Gli occhi del nano erano fissi sull'onorevole, e contro il vetro della finestra s'alzarono delle dita corte corte, la grinzosa palma d'una piccola mano, che batté contro il vetro, batté due volte, come per chiamarlo. Cosa aveva da comunicargli? si domandò Amerigo. Cosa pensava, il nano, di quell'autorevole personaggio? Cosa pensava – si disse – di noi, di tutti noi?

L'onorevole si voltò, il suo sguardo girò sulla finestra, si fermò appena sul nano, poi passò via, distante. Amerigo pensò: «Si è accorto che è uno che non può votare». E pensò: «Non lo vede nemmeno, non lo degna d'uno sguardo». E pensò anche: «Ecco, io e l'onorevole siamo da una parte, e il nano dall'altra», e se ne sentì rassicurato.

Il nano batté ancora la manina sulla finestra, ma l'onorevole ormai non si voltava. Certo il nano non aveva nulla da dire all'onorevole, i suoi occhi erano solo occhi, senza pensieri dietro, eppure si sarebbe detto che volesse fargli arrivare una comunicazione, dal suo mondo senza parole, che volesse stabilire un rapporto, dal suo mondo senza rapporti. Qual è il giudizio, si domandava Amerigo, che un mondo escluso dal giudizio dà di noi?

Il senso della vanità della storia umana che l'aveva colto poco prima in cortile, lo riprese: il regno del nano soverchiava il regno dell'onorevole, e Amerigo adesso si sentiva tutto dalla parte del nano, s'identificava con quello che il «Cottolengo» testimoniava contro l'onorevole, contro l'intruso, il solo vero nemico infiltratosi là dentro.

Ma gli occhi del nano si posavano con uguale assenza di partecipazione su tutto quel che nel cortile si muoveva, onorevole compreso. Il negare valore ai poteri umani implica l'accettazione (ossia la scelta) del potere peggiore: il regno del nano, dimostrata la sua superiorità sul regno dell'onorevole, lo annetteva, lo faceva proprio. Ecco che il nano e l'onorevole confermavano d'essere dalla stessa parte, e Amerigo adesso non poteva starci, era fuori...

Tornò la macchina nera e sbarcò un carico di trementi beghine. Con gran sollievo l'onorevole si cacciò dentro, abbassò il vetro per dare gli ultimi incitamenti, e partì.

XI

A metà della giornata il flusso dei votanti diradò. Nel seggio ci si mise d'accordo per dei turni d'uscita, così qualcuno degli scrutatori che non abitavano lontano poteva fare un salto a casa e mangiare un boccone. Ad Amerigo toccò per primo.

Abitava solo, in un piccolo appartamento; una donna a ore gli faceva i servizi e un poco di cucina. – La signorina ha telefonato già due volte, – gli disse. E lui: – Ho fretta, mi dia subito da mangiare –. Ma più che mangiare voleva due cose: fare una doccia e stare un momento seduto con un libro aperto davanti agli occhi. Fece la doccia, si rivestì, anzi si cambiò, mise una camicia pulita. Poi avvicinò la poltrona alla libreria e si mise a cercare nei ripiani più bassi.

La sua biblioteca era ristretta. Col passar degli anni, s'accorgeva che era meglio concentrarsi su pochi libri. In gioventù era stato di letture disordinate, mai sazio. Ora la maturità lo portava a riflettere ed a evitare il superfluo. Il contrario che con le donne: la maturità gli portava insofferenza, una giostra di storie brevi e balorde che ogni volta si vedeva già che non andava. Era uno di quegli scapoli che per abitudine gli piace far l'amore il pomeriggio, e di notte dormir solo.

Il pensiero di Lia, che per tutta la mattina, finché era un ricordo irraggiungibile, gli era stato necessario, ora l'infastidiva. Avrebbe dovuto telefonarle, ma parlare con lei in quel momento gli avrebbe mandato all'aria la rete di pensieri che stava lentamente tessendo. Comunque, Lia non avrebbe tardato a richiamare, e Amerigo voleva, prima di sentire la sua voce, essere entrato in una lettura che accompagnasse e incanalasse le sue riflessioni, in modo da poterne riprendere il filo dopo la telefonata.

Ma non sapeva trovare un libro che facesse al caso suo, tra quelli che aveva lì: classici, un po' a caso, e di moderni soprattutto filosofi, qualche poeta, e libri di cultura. Da tempo cercava d'allontanare da sé la letteratura, quasi vergognandosi della vanità d'aver voluto essere, in gioventù, scrittore. Era stato svelto a capire l'errore che c'è sotto: la pretesa d'una sopravvivenza individuale, senz'aver fatto nient'altro per meritarla che mettere in salvo un'immagine – vera o falsa – di sé. La letteratura delle persone gli pareva una distesa di lapidi di cimitero: quella dei vivi e quella dei morti. Ormai nei libri cercava altro: la sapienza delle epoche o semplicemente qualcosa che servisse a capire qualcosa. Ma siccome era abituato a ragionare per immagini continuava a scegliere nei libri dei pensatori il nocciolo immaginoso, cioè a scambiarli per poeti, oppure a cavar fuori la scienza o la filosofia o la storia ragionando di come Abramo va per sacrificare Isacco, e come Edipo s'accieca, e Re Lear nella bufera perde il senno.

Qui non era però il caso d'aprire la Bibbia: sapeva già il gioco che si sarebbe messo a fare, col libro di Giobbe, identificando quelli del seggio, presidente, prete, nei personaggi che vengono attorno all'afflitto a persuaderlo sul modo di trattare con l'eterno.

Piuttosto, tanto per tenersi a quei testi che appena a sfogliarli trovi sempre qualcosa che ti prende, il comunista Amerigo Ormea cercò in Marx. E vide, nei *Manoscritti* giovanili, un passo che fa:

... L'universalità dell'uomo appare praticamente proprio in quella universalità che fa dell'intera natura il corpo *inorganico* dell'uomo, sia perché essa 1) è un mezzo immediato di sussistenza, sia perché 2) è la materia, l'oggetto e lo strumento della sua attività vitale. La natura è il *corpo inorganico* dell'uomo, precisamente in quanto non è essa stessa corpo umano. Che l'uomo *viva* della natura vuol dire che la natura è il suo *corpo*, con cui deve stare in costante progresso per non morire...

Velocemente, si convinse che poteva significare anche questo: una volta fuori dalla società che fa diventare gli uomini cose, la totalità delle cose – natura e industria – diventa umana, e anche l'uomo menomato, l'uomo-Cottolengo (ossia, nella peggiore delle ipotesi, l'uomo) è reintegrato nei diritti del genere umano in quanto usufruisce di questo corpo totale, di questo prolungamento del suo corpo: la ricchezza di tutto ciò che esiste (anche la «natura inorganica spirituale» – si leggeva più sopra, forse per un residuo di hegelismo – cioè pensata, come scienza e arte) finalmente divenuta nel suo insieme oggetto della coscienza e della vita umane. Vorrà dire che il «comunismo» (Amerigo cercava di dare alla parola un suono come se fosse la prima volta che veniva pronunciata, perché tornasse possibile pensare, sotto la scorza del nome, a questo sogno d'una morte e resurrezione della natura, il tesoro dell'utopia sepolto sotto le fondamenta della dottrina «scientifica»), vorrà dire che il comunismo ridarà le gambe agli zoppi, la vista ai ciechi? Cioè lo zoppo avrà a disposizione tante e tante gambe per correre che non s'accorgerà se gliene manca una delle sue? Cioè il cieco avrà tante e tante antenne per conoscere il mondo che si dimenticherà di non avere gli occhi?

Suonò il telefono. Lia chiedeva: – Ma di', dove sei stato tutta la mattina?

Amerigo non le aveva spiegato niente, né aveva intenzione di farlo. Non per un qualche motivo particolare, ma perché con Lia c'erano cose di cui parlava, e cose di cui non parlava affatto: e questa era delle seconde. – Be', lo sai, oggi c'è tutte 'ste elezioni, no? – si limitò a dire.

– Le elezioni è una cosa che dura due minuti. Uno va e vota. Anch'io ci sono andata.

(Per chi potesse votare la ragazza, era un problema che Amerigo non si poneva nemmeno, domandarlo gli sarebbe costato uno sforzo, era mescolare un tipo di problemi – i suoi rapporti con lei – a un altro – i suoi rapporti con la politica. Però gliene restava una specie di cattiva coscienza, sia verso il partito – il dovere d'ogni comunista sarebbe stato di fare «propaganda capillare» e lui neanche con la sua amica, era buono! – sia verso di lei – perché non parlava mai con lei delle cose che per lui erano più importanti?)

– Be', io avevo da fare delle cose. Sono uno di quelli che stanno lì nei seggi, – disse, provando un gran fastidio.

– Ah. Era perché volevo combinare per questo pomeriggio.

– Niente. Devo tornare lì.

– Di nuovo?

– Ormai sono impegnato, – e volle aggiungere: – Sai, il partito…

(Lia, al fatto che Amerigo fosse nei comunisti, non badava più che se tenesse per una squadra di foot-ball o per un'altra. Era giusto?)

– Perché non ti metti d'accordo con un altro che stia lui?

– Ti dico: è una cosa che quando uno ci s'è messo, deve starci fino alla fine, per legge.

– Bravo furbo.

– Eh.

Il nervoso che era buona a mettergli, questa ragazza.

– Era l'ultimo giorno della tua settimana. Ma sì, lo sai, te l'avevo già detto, la settimana dell'oroscopo!

– Lia, adesso, l'oroscopo...

– «Settimana decisiva per la vita amorosa, altrimenti sfavorevole ad altre iniziative».

– L'oroscopo di quel settimanale!

– È il più sicuro di tutti, non sbaglia mai.

Cominciò una discussione delle solite, causate dal fatto che Amerigo, invece di dirle: «Gli oroscopi, tutte balle!» come gli sarebbe venuto naturale, s'impelagava – per la sua abitudine a guardare le cose dal punto di vista dell'avversario e la sua riluttanza a esprimere concetti ovvi – in un'analisi tecnica dell'astrologia, cercando di dimostrarle che, appunto per chi credeva negli influssi degli astri, era impossibile dare affidamento agli oroscopi dei giornali.

– Sta' a sentire, l'ora della nascita non è contraddistinta solamente dalla posizione del Sole ma...

– Ma che me ne importa? Su me e su te quegli oroscopi lì indovinano sempre!

– Irrazionale, Lia, sei sempre irrazionale, – s'arrabbiava Amerigo, – i pianeti, basta un po' di logica, Plutone, per esempio, secondo dov'è ospite...

– Io mi baso sull'esperienza, non su chiacchiere, – tempestava Lia. Insomma, non ci si capiva più.

Dopo la telefonata, Amerigo si sedette a tavola, cominciò a mangiare, col libro aperto davanti, e intanto cercava di riprendere il pensiero interrotto.

Era arrivato a un punto, a uno spiraglio sottile come il forellino d'uno spillo, da cui poteva vedere un mondo umano di così diversa struttura che anche le ingiustizie della natura vi perdevano peso, diventavano trascurabili, e finiva quella lotta a soverchiarsi reciprocamente che c'è nella carità, tra chi la esercita e chi la richiede... Niente, non lo ritrovava più, era inutile, aveva perso il filo, sempre così con quella ragazza! Si sarebbe detto che bastava il suono della sua voce ad alterare tutte le proporzioni intorno, per cui la cosa che gli capitava di discutere con Lia (una cosa qualsiasi, una stupidaggine, gli oroscopi, il colonnello Townsend, il vitto migliore per chi soffre di colite) diventava d'un'importanza divorante, e lui era inghiottito anima e corpo in un litigio che continuava poi sotto forma di soliloquio, di farneticazione interiore, e l'accompagnava per tutta la giornata.

S'accorse che non aveva neanche più appetito.

«Irrazionale, ecco com'è, questa ragazza! – si ripeteva, arrabbiandocisi, ma nello stesso tempo sicuro che Lia non potesse essere che così, e se non fosse stata così sarebbe come se non ci fosse. – Irrazionale, prelogica!» e provava un doppio piacere, a riproporsi la sofferenza che gli dava il modo di pensare di Lia, e a esercitare crudelmente su di esso l'aggressione della logica più elementare. «Prelogica! Prelogica!»: nel suo litigio immaginario continuava a gettare questa parola sul viso di Lia, e adesso rimpiangeva di non avergliela detta, «Prelogica! Sai come sei? Prelogica!», e avrebbe voluto che lei capisse subito quel che voleva dire, anzi no: che non capisse e lui avesse modo di spiegarle diffusamente cosa voleva dirle con: «Prelogica!», e lei se ne offendesse e così lui potesse, continuando a dirle: «Prelogica!», spiegarle chiaramente come non avesse nessuna ragione di sentirsene offesa, anzi,

«Prelogica!» fosse ben detto per lei proprio perché a sentirsi dire: «Prelogica!» si offendeva come se «Prelogica!» fosse un'offesa e invece.

Buttò il tovagliolo, s'alzò da tavola, s'attaccò al telefono, la richiamò. Aveva bisogno di ricominciare a litigare e di dirle: «Prelogica!», ma Lia prima ancora che lui avesse detto: «Pronto», fece, a bassa voce: – Sss... Taci...

Una musica veniva su attutita dal fondo del telefono. Amerigo aveva già perso ogni sicurezza. – Be'... cos'è...?

– Sss... – faceva Lia, come se non volesse perdere una nota.

– Che disco è? – chiese Amerigo, tanto per dir qualcosa.

– La-la-lan... Come, non senti? Ma se te ne ho anche regalato uno?

– Ah già... – fece Amerigo; non gliene importava niente. – Di', volevo dirti...

– Taci, – sussurrava Lia, – devi sentirlo fino in fondo...

– Sì, adesso sto al telefono a sentire i dischi! Per quello, posso sentirne uno dei miei senza alzarmi da tavola!

Ci fu un silenzio al di là del filo; anche il fiotto di musica si era interrotto. Poi Lia disse lentamente: – ... Ah. I *tuoi* dischi?

Amerigo si rese conto d'aver detto l'ultima cosa che doveva mai dire. Cercò di riparare, velocemente: – I *miei*, cioè i *tuoi*, quelli che mi hai regalato...

Ma era troppo tardi. – Oh, lo so, chi te li ha regalati non importa...

Era una vecchia polemica, insopportabile per Amerigo. Lui aveva certi dischi, va bene?, non gliene importava niente, ma una volta, chissà perché, aveva detto a Lia che non si stancava mai di sentirli; fin qui niente di male; ma quando poi Lia aveva

appreso, da una sua distratta affermazione, che
quei dischi glieli aveva regalati una certa Maria Pia,
ci aveva ricamato su in una maniera così antipatica
che non si riusciva più a parlarne senza litigare. Poi
gli aveva regalato degli altri dischi; e voleva che
buttasse via i vecchi. Amerigo aveva detto di no,
per principio: non gli importava niente dei dischi
né di quella Maria Pia, acqua passata, ma non ammetteva di collegare dei fatti oggettivi come la musica d'un disco a dei fatti soggettivi come il sentimento per chi aveva regalato il disco, non ammetteva di dover rendere conto, non ammetteva di dover
spiegare perché non ammetteva, insomma: una
storia insopportabile, e adesso ci s'era impelagato
ancora una volta.

Aveva fretta, ma non poteva tagliar corto senza
peggiorare le cose. Tanto più che stavolta, tra lei
che fingeva di dire le cose che diceva lui: – Oh, ca-
pisco, una musica è una musica, cosa c'entra il ricordo della persona... – e lui che cercava di dire le
cose che dovevano piacere a lei: – Ma io sento i dischi che mi piacciono di più, cioè quelli che hai scelto tu, no? – non si capiva più se il litigio ci fosse o
non ci fosse.

E Lia a un certo punto rimise il disco, e insieme
accennavano al motivo, e a un certo punto Amerigo, a parte, cioè alla domestica che chiedeva se poteva portare via i piatti, disse: – Un momento, devo
finire la minestra! – e Lia allora ridendo: – Ma sei
matto, non hai ancora finito di mangiare? – e così si
salutarono e non c'era dubbio che s'erano rappaci-
ficati.

Il pensiero che occupava Amerigo alla pietanza
era questo: che dell'amore l'unico che aveva capito
qualcosa era Hegel. Si alzò tre volte prima di finire
il piatto per cercare dei libri; ma testi di Hegel in casa non ce ne aveva; solo qualche libro su Hegel o

con capitoli su Hegel, e per quanto li scartabellasse tra un boccone e l'altro, – il Desiderio del Desiderio, l'Altro, il Riconoscimento, – non trovava il punto.

Suonò il telefono. Era di nuovo Lia. Senti, ho da parlarti. Avevo deciso di non dirti ancora niente invece te lo dico. No, non al telefono, è una cosa che non si può dire al telefono. Veramente non sono ancora sicura, te ne parlerò quando sarò sicura, no: è meglio che ti dica già adesso. Una cosa importante, ho paura di sì, (parlavano a frasi mozzicate, lei perché non sapeva decidersi, lui perché di là c'era la domestica – a un certo momento andò a chiudere la porta della cucina – e anche perché aveva paura di capire), è inutile che ti arrabbi caro mio, se ti arrabbi hai capito, mah, sicura al cento per cento non sono, però... Insomma, voleva dirgli che era incinta.

C'era una sedia vicino al telefono. Amerigo si sedette. Non diceva niente, tanto che Lia fece: – Pronto? Pronto? – credendo che si fosse interrotta la linea.

Amerigo in questi casi avrebbe voluto restar calmo, padrone della situazione – non era più un ragazzo! –, costituire una presenza tranquillizzante, serena, protettiva, e nello stesso tempo fredda, lucida, di chi sa tutto quel che deve fare. Invece perdeva subito la testa. Gli si stringeva la gola, non sapeva parlare con calma, né riflettere prima di parlare, – Ma no, ma sei matta, ma come può... – e subito era in preda all'ira, un'ira precipitosa che era come voler ricacciare indietro, nel non essere, l'eventualità che s'affacciava, il pensiero che non permetteva altro pensiero, l'obbligo di far qualcosa, di prendere delle responsabilità, di decidere sulla vita altrui e sulla propria. Si buttava a parlare, a inveire: – Ma me lo dici così, ma sei incosciente, ma come

puoi restare così tranquilla... – tanto da provocare
la reazione di lei, indignata, ferita: – Incosciente sei
tu! Anzi: incosciente io a parlartene! Dovevo dirti
niente, sbrigarmela da me, non vederti più!

Amerigo sapeva bene che dava dell'«incosciente»
a lei volendo darlo a se stesso, era solo con se stesso che ce l'aveva, ma in quel momento il rammarico e il senso di colpa si traducevano in un'avversione per la donna nei guai, per quel rischio che poteva trasformare in una presenza irrevocabile, in un
futuro senza fine quello che ora gli pareva un incontro già durato abbastanza, finito, relegato nel
passato.

Nello stesso tempo non smetteva in lui il rimorso
d'essere così egoista, d'avere una parte così como-
da in confronto a quella di lei, e il coraggio della ragazza gli pareva grandissimo, sublime, e in lui ora
l'ammirazione per questo coraggio, l'affetto per
quest'incertezza di lei, così legata alla sua, e la sicurezza d'essere in fondo migliore di come quelle prime reazioni affannose l'avevano rivelato, di poter
fare appello a una riserva di maturo equilibrio e responsabilità, lo spingevano a prendere un atteggiamento tutto diverso, anche qui con una fretta precipitosa, a dire: – No, no, cara, non ti preoccupare, ci
sono qua io, ti sto vicino, qualunque cosa...

La voce di lei non tardava ad addolcirsi, cercando
una espressione di consolazione: – Oh, senti, vuol
dire che se... – ed ecco a lui già prendeva la paura
d'essere andato troppo in là, quasi fino a farle credere d'essere disposto ad avere un figlio da lei, e allora, pur senza interrompere la sua pressione protettiva, cercava di marcare le sue intenzioni: – Ve-
drai, mia cara, sarà una cosa da niente, provvedo
io, povera stella, sta' tranquilla, roba di pochi giorni e non te ne ricordi più... – ed ecco che si levava
di scatto dall'altro capo del filo la voce acuta, quasi

stridula: – Cosa dici? Cosa provvedi, tu? Cosa c'entri? Il figlio è mio... Io se voglio avere un figlio lo faccio! Io a te non chiedo niente! Io a te non ti voglio più vedere! Mio figlio crescerà e te non saprà neanche chi sei!

Con questo, non era detto che volesse il figlio davvero; forse voleva solo sfogare il naturale risentimento della donna contro questa facilità dell'uomo nel fare e nel disfare; ma moltiplicò l'allarme in Amerigo, che protestava: – Ma no, ma non si può, non si può fare i figli così, non è serio, non è responsabile... – finché lei non gli abbassò il ricevitore a mezzo del discorso.

– Non mangio più, sparecchi, – disse alla domestica. Tornò a sedersi vicino alla libreria e pensava a quando era seduto lì, prima, come a un tempo lontano, e sereno, e spensierato. Più di tutto, si sentiva umiliato. Per lui, la procreazione, per prima cosa, era una sconfitta delle sue idee. Amerigo era un fautore accanito del birth-control, nonostante che il suo partito su quel punto si dimostrasse tra agnostico e contrario. Nulla lo scandalizzava quanto la faciloneria con cui i popoli si moltiplicano, e più affamati e arretrati sono meno la smettono di far figli, non tanto perché li vogliono ma perché abituati a lasciar fare alla natura, alla disattenzione, all'abbandono. Ma per continuare a dimostrare quel distaccato rammarico e stupore da socialdemocratico scandinavo verso il mondo sottosviluppato, bisognava che restasse lui stesso esente da quella colpa...

Oggi, poi, le ore passate al «Cottolengo» gli pesavano addosso, tutta quell'India di gente nata all'infelicità, quella muta domanda o accusa a tutti quelli che procreano. Gli pareva che quella vista, quella coscienza non sarebbero state senza conseguenze, quasi che la madre incinta fosse lui, suscettibile come una lastra fotografica, o che già da tempo la dissezione atomica lavorasse dentro di lui e non ne potesse nascere che una progenie perduta.

Come poteva tornare alle letture ormai, alle riflessioni universali? Anche i libri aperti davanti a lui gli erano nemici: la Bibbia con tutto quel problema del perpetuare tra carestie e deserti le generazioni di una specie umana che vuol salvare ogni goccia del suo seme, incerta ancora sulla propria sopravvivenza; e Marx, anche lui che non vuol freni alla seminagione umana, persuaso dell'infinita ricchezza della terra, anche lui: allez, tutto irrorante fecondità; giù! dài! evviva! allegri! ve li raccomando tutti e due! come si fa a non aver capito che adesso il pericolo del genere umano è tutto l'opposto?

Aveva fatto tardi; al seggio l'aspettavano; aveva da dare il cambio agli altri; doveva andare via di corsa. Ma prima chiamò Lia ancora una volta, sebbene non sapesse neanche cosa dirle: – Lia, senti, ora devo uscire di corsa, però, guarda, io...

– Sss... – fece lei: il disco continuava a suonare come prima, come se quella telefonata in mezzo non ci fosse stata, e Amerigo ebbe un soprassalto di polemica («Ecco, per lei non è niente, per lei è il corso della natura, per lei non conta la logica della ragione ma solo la logica della fisiologia!») e insieme una specie di rassicuramento, perché Lia era davvero la Lia di sempre: – Taci... Devi sentirlo anche tu fino alla fine... – e in fondo, cosa poteva esser cambiato in lei? Poca cosa: qualcosa che ancora non era e che quindi si poteva ricacciare nel nulla (da che punto in poi un essere è davvero un essere?), una potenzialità biologica, cieca (da che punto un essere umano è umano?), un qualcosa che solo una deliberata volontà di farlo essere umano poteva far entrare tra le presenze umane.

XII

Un certo numero degli iscritti a votare del «Cottolengo» erano malati che non potevano lasciare il
letto e la corsia. La legge prevede in questi casi che
tra i componenti del seggio se ne scelgano alcuni
per costituire un «seggio distaccato» che vada a
raccogliere i voti dei malati nel «luogo di cura» cioè
là dove si trovano. Si misero d'accordo per formare
questo «seggio distaccato» con il presidente, il segretario, la scrutatrice in bianco e Amerigo. Il «seggio distaccato» aveva in dotazione due scatole, una
con le schede da votare e l'altra per raccogliere le
schede votate, un fascicolo speciale come registro e
l'elenco dei «votanti nel luogo di cura».

Presero le cose e andarono. Li guidava su per le
scale un ricoverato di quelli «bravi», un giovanotto
piccolo e tozzo che, nonostante i brutti lineamenti,
la zucca rapata e subito sotto i sopraccigli spessi e
uniti, si dimostrava all'altezza del suo compito e
premuroso, tanto che pareva finito lì per sbaglio,
per via della faccia. – In questo reparto ce n'è quattro –. Ed entrarono.

Era un camerone lungo e si andava tra due bianche file di letti. L'occhio, uscendo dall'ombra della
scala, provava un senso d'abbagliamento, doloro-
so, che forse era soltanto una difesa, quasi un rifiuto di percepire in mezzo al bianco d'ogni monte di
lenzuola e guanciali la forma di colore umano che

ne affiorava; oppure una prima traduzione, dall'u-
dito nella vista, dell'impressione d'un grido acuto,
animale, continuo: ghiii... ghiii... ghiii... che si levava da un qualche punto della corsia, a cui rispondeva a tratti da un altro punto un sussultare
come di risata o latrato: gaa! gaa! gaa! gaa!

Il grido acuto proveniva da una minuscola faccia
rossa, tutta occhi e bocca aperta in un fermo riso,
d'un ragazzo a letto, in camicia bianca, seduto, ossia che spuntava col busto dall'imboccatura del letto come una pianta viene su da un vaso, come un
gambo di pianta che finiva (non c'era segno di
braccia) in quella testa come un pesce, e questo ra-
gazzo-pianta-pesce (fino a dove un essere umano
può dirsi umano? si chiedeva Amerigo) si muoveva su e giù inclinando il busto a ogni «ghiii...
ghiii...» E il «gaa! gaa!» che gli rispondeva era d'u-
no che nel letto prendeva meno forma ancora, eppure protendeva una testa boccuta, avida, conge-
stionata, e doveva avere braccia – o pinne – che si
muovevano sotto le lenzuola in cui era come insac-
cato, (fino a che punto un essere può dirsi un essere, di qualsiasi specie?), e altri suoni di voci gli facevano eco, eccitate forse dall'apparire di persone
nella corsia, e anche un ansare e gemere, come
d'un urlo che stesse per levarsi e subito si soffocas-
se, questo d'un adulto.

Erano, in quell'infermeria, parte adulti – pareva – parte ragazzi e bambini, se si doveva giudicare
dalle dimensioni e da segni, come i capelli o il colore della pelle, che contano tra le persone di fuori.
Uno era un gigante con la smisurata testa da neo-
nato tenuta ritta dai cuscini: stava immobile, le
braccia nascoste dietro la schiena, il mento sul petto che s'alzava in un ventre obeso, gli occhi che
non guardavano nulla, i capelli grigi sulla fronte
enorme, (un essere anziano, sopravvissuto in quel-

la lunga crescita di feto?), impietrito in una tristez-
za attonita.

Il prete, quello col basco, era già nella corsia, ad
aspettarli, anche lui con in mano un suo elenco.
Vedendo Amerigo si fece scuro in viso. Ma Amerigo in quel momento non pensava più all'insensato
motivo per cui si trovava lì; gli pareva che il confine di cui ora gli si chiedeva il controllo fosse un altro: non quello della «volontà popolare», ormai
perduto di vista da un pezzo, ma quello dell'u-
mano.

Il prete e il presidente s'erano avvicinati alla Madre che dirigeva quel reparto, coi nomi dei quattro
iscritti a votare, e la Madre li indicava. Altre suore
venivano portando un paravento, un tavolino, tutte le cose necessarie per fare le elezioni lì.

Un letto alla fine della corsia era vuoto e rifatto;
il suo occupante, forse già in convalescenza, era seduto su una seggiola da una parte del letto, vestito
d'un pigiama di lana con sopra una giacca, e seduto dall'altra parte del letto era un vecchio col cappello, certamente suo padre, venuto quella domenica in visita. Il figlio era un giovanotto, deficiente,
di statura normale ma in qualche modo – pareva –
rattrappito nei movimenti. Il padre schiacciava al
figlio delle mandorle, e gliele passava attraverso al
letto, e il figlio le prendeva e lentamente portava
alla bocca. E il padre lo guardava masticare.

I ragazzi-pesce scoppiavano nei loro gridi, e ogni
tanto la Madre si staccava dal gruppo di quelli del
seggio per andare a zittire uno troppo agitato, ma
con scarso esito. Ogni cosa che accadeva nella corsia era separata dalle altre, come se ogni letto racchiudesse un mondo senza comunicazione col resto, salvo per i gridi che s'incitavano uno con l'altro, in crescendo, e comunicavano un'agitazione
generale, in parte come un chiasso di passeri, in

parte dolorosa, gemente. Solo l'uomo con la testa
enorme stava immobile, come non sfiorato da nes-
sun suono.

Amerigo continuava a guardare il padre e il figlio. Il figlio era lungo di membra e di faccia, pelo-
so in viso e attonito, forse mezzo impedito da una
paralisi. Il padre era un campagnolo vestito anche
lui a festa, e in qualche modo, specie nella lun-
ghezza del viso e delle mani, assomigliava al figlio.
Non negli occhi: il figlio aveva l'occhio animale e
disarmato, mentre quello del padre era socchiuso e
sospettoso, come nei vecchi agricoltori. Erano vol-
tati di sbieco, sulle loro seggiole ai due lati del letto, in modo da guardarsi fissi in viso, e non bada-
vano a niente che era intorno. Amerigo teneva lo
sguardo su di loro, forse per riposarsi (o schivarsi)
da altre viste, o forse ancor di più, in qualche modo affascinato.

Intanto gli altri facevano votare uno in un letto.
In questo modo: gli mettevano intorno il paravento, col tavolino dietro, e per lui la suora, perché era
paralitico, votava. Tolsero il paravento, Amerigo lo
guardò: era una faccia viola, riversa, come un mor-
to, a bocca spalancata, nude gengive, occhi sbarrati. Più che quella faccia, nel guanciale affossato,
non si vedeva; era duro come un legno, tranne un
ansito che gli fischiava al fondo della gola.

Ma cosa hanno il coraggio di far votare? si domandò Amerigo, e solo allora si ricordò che toccava a lui impedirlo.

Già rizzavano il paravento a un altro letto. Amerigo li seguì. Un'altra faccia glabra, tumida, irrigidi-
ta a bocca aperta e storta, coi bulbi degli occhi fuori
delle palpebre senza ciglia. Questo però era inquieto, smanioso.

– Ma c'è un errore! – disse Amerigo, – come può
votare, questo qui?

– Eppure, c'è il suo nome, Morin Giuseppe, – fece il presidente. E al prete: – È proprio lui?

– Eh, qui c'è il certificato, – disse il prete: – impedimento motorio agli arti. Madre, è lei, vero, che l'aiuta?

– Ma sì, ma sì, povero Giuseppe! – fece la Madre.

Quello sobbalzava come colto da scosse elettriche, gemendo.

Amerigo, ora toccava a lui. Si strappò con sforzo dai suoi pensieri, da quella lontana zona di confine appena intravista – confine tra che cosa e che cosa? – e tutto quello che era al di qua e al di là sembrava nebbia.

– Un momento, – disse, con una voce senz'espressione, sapendo di ripetere una formula, di parlare nel vuoto, – è in grado l'elettore di riconoscere la persona che vota per lui? È in grado di esprimere la sua volontà? Ehi, dico a lei, signor Morin: è in grado?

– La solita storia, – disse il prete al presidente, – la Madre che sta qui con loro giorno e notte, gli chiedono se la conosce... – e scosse il capo, con una risatina.

Anche la Madre sorrise, ma d'un sorriso che era per tutti e per nulla. Il problema d'esser riconosciuta, pensò Amerigo, per lei non esisteva; e gli venne da confrontare lo sguardo della vecchia suora con quello del contadino venuto a passare la domenica al «Cottolengo» per fissare negli occhi il figlio idiota. Alla Madre non occorreva il riconoscimento dei suoi assistiti, il bene che ritraeva da loro – in cambio del bene che loro dava – era un bene generale, di cui nulla andava perso. Invece il vecchio contadino fissava il figlio negli occhi per farsi riconoscere, per non perderlo, per non perdere quel qualcosa di poco e di male, ma di suo, che era suo figlio.

La Madre, se da quel tronco d'uomo col certificato elettorale non veniva alcun segno di riconoscimento, era la meno preoccupata di tutti: eppure, si
dava da fare a sbrigare quella formalità delle elezioni come una delle tante che il mondo di fuori imponeva e che, per vie che lei non si curava d'indaga-
re, condizionavano l'efficienza del suo servizio; e
così cercava d'alzare quel corpo con le spalle sui
guanciali, quasi che potesse far la figura di stare seduto. Ma nessuna posizione s'addiceva più a quel
corpo: le braccia, nel camicione bianco, erano rat-
trappite, con le mani piegate in dentro, e anche le
gambe aveva allo stesso modo, come se le membra
cercassero di tornare dentro se stesse a cercare un
rifugio.

– Ma, parlare, – fece il presidente, con un dito al-
zato, come chiedendo scusa del dubbio, – non può
proprio?

– Parlare no, signor presidente, – disse il prete, –
eh, parli, tu? No, non parli? Vede che non parla.
Ma capisce. Lo sai chi è lei, sì? È buona? Sì? Capisce. Del resto ha già votato l'altra volta.

– Sì, sì, – disse la Madre, – questo qui ha sempre
votato.

– Perché è così, ma poi capisce... – disse la scrutatrice in bianco: una frase che non si capiva se fosse una domanda, un'affermazione, o una speranza. E si rivolse alla Madre, come a coinvolgere nella
sua domanda-affermazione-speranza anche lei: –
Capisce, neh?

– Eh... – la Madre allargò le braccia e guardò in
su.

– Basta con questa commedia, – disse Amerigo,
secco. – Non può esprimere la sua volontà, cioè
non può votare. È chiaro? Un po' più di rispetto.
Non c'è bisogno di far altre parole.

(Voleva dire «un po' più di rispetto» verso le elezioni oppure «un po' più di rispetto» verso la carne che soffre? Non lo specificò).

Si aspettava che le sue parole suscitassero una battaglia. Invece niente. Nessuno protestò. Con un sospiro, scuotendo il capo, guardavano l'uomo rattratto. – Certo, è peggiorato, – convenne il prete, a bassa voce. – Ancora due anni fa, votava.

Il presidente mostrò il registro ad Amerigo: – Cosa si fa: lasciamo in bianco o facciamo un verbale a parte?

– Lasciamo. Lasciamo perdere, – fu tutto quello che seppe dire Amerigo; pensava a un'altra domanda: se era più umano aiutarli a vivere o a morire, e anche a quella non avrebbe saputo dare una risposta.

Così, aveva vinto la sua battaglia: il voto del paralitico non era stato estorto. Ma un voto, cosa contava un voto? Questo era il discorso che gli faceva il «Cottolengo» con i suoi gemiti e i suoi gridi, vedila la tua volontà popolare che scherzo diventa, qua nessuno ci crede, qua ci si vendica dei poteri del mondo, era meglio lasciarlo passare anche quel voto, era meglio che quella parte di potere guadagnata così restasse incancellabile, inscindibile dalla loro autorità, che se la portassero su di loro per sempre.

– E il 27? E il 15? – chiese la Madre. – Gli altri che dovevano votare, votano?

Il prete, data un'occhiata all'elenco, s'era avvicinato a un letto. Tornò scuotendo il capo: – Anche quello là, sta male.

– Non riconosce? – fece la scrutatrice, come ci s'informa d'un parente.

– È peggiorato. Peggiorato, – fece il prete. – Non se ne fa niente.

– Anche questo, allora, lo depenniamo, – fece il presidente. – E il quarto? Dov'è il quarto?

Ma il prete ormai l'aveva capita, voleva solo tagliar corto. – Se non può uno non possono neanche gli altri; andiamo, andiamo, – e spingeva per il braccio il presidente che cercava di controllare i numeri dei letti e a un certo momento si fermò davanti al gigante immobile dalla testa enorme, e cercò nell'elenco come per verificare se il numero del quarto votante era quello lì, ma il prete lo spingeva via: – Andiamo, andiamo, vedo che qui sono tutti mal messi....

– Gli altri anni glielo facevano fare, – diceva la Madre, come se parlasse di iniezioni.

– Eh, adesso sono peggiorati, – concluse il prete. – Si sa, il malato, o guarisce, o peggiora.

– Non tutti sono in grado di votare, si capisce, poveretti, – disse la scrutatrice come scusandosi.

– Oh, poveri noi! – rise la Madre. – Ce n'è che non possono votare, ce n'è. Vedesse lì nella veranda...

– Si possono vedere? – chiese la scrutatrice.

– Ma sì, venite di qua, – e aperse una porta a vetri.

– Se sono di quelli che fanno impressione, io ho paura, – disse il segretario. Anche Amerigo s'era tirato indietro.

La Madre sorrideva sempre: – Ma no, perché paura, buoni figli...

La porta dava su una terrazza, una specie di veranda; e c'era un semicerchio di seggioloni con seduti tanti giovanotti, rapati in testa e incolti di barba, con le mani poggiate sui braccioli. Portavano vestaglie a righe blu i cui lembi scendevano a terra nascondendo il vaso che era sotto a ogni seggiolone, ma il puzzo e rivoli di trabocco si perdevano sul pavimento, tra le loro gambe nude dai piedi calzati in zoccoli. Anche tra loro c'era quella somiglianza fraterna che regna al «Cottolengo» e anche l'espressione era simile, nelle bocche aperte, senza forma, maldentate: d'uno sghignazzare che poteva anche essere un piangere; e lo strepito che mandavano si fondeva in uno spento blaterio di risa e pianti. In piedi davanti a loro, un assistente – uno di quei ragazzi brutti ma bravi – teneva l'ordine, con in mano una canna, e interveniva quando uno voleva toccarsi, o alzarsi, o attaccava briga con gli altri, o faceva troppo strepito. Sui vetri della veranda brillava un po' di sole, e i giovanotti ridevano ai riflessi o passavano mutevoli all'ira vociando contro l'uno o l'altro, e poi subito dimenticavano.

Quelli del seggio guardarono un po', dalla soglia, poi si ritirarono, ripercorsero la corsia. La Madre li precedeva. – Lei è una santa, – disse la scrutatrice. – Non ci fossero anime come lei, questi infelici...

La vecchia suora muoveva lì intorno gli occhi chiari e lieti, come si trovasse in un giardino pieno di salute, e rispondeva alle lodi con quelle frasi che si sanno, improntate a modestia e ad amore del prossimo, ma naturali, perché tutto doveva essere molto naturale per lei, non ci dovevano essere dubbi, dacché aveva scelto una volta per tutte di vivere per loro.

Anche Amerigo avrebbe voluto dirle delle parole di ammirazione e simpatia, ma quel che gli veniva da dire era un discorso sulla società come avrebbe dovuto essere secondo lui, una società in cui una donna come lei non sarebbe considerata più una santa perché le persone come lei si sarebbero moltiplicate, anziché star relegate in margine, allontanate nel loro alone di santità, e vivere come lei, per uno scopo universale, sarebbe stato più naturale che vivere per qualsiasi scopo particolare, e sarebbe stato possibile a ognuno esprimere se stesso, la propria carica sepolta, segreta, individuale, nelle

72   *Italo Calvino*

proprie funzioni sociali, nel proprio rapporto con il bene comune...

Ma più s'ostinava a pensare queste cose, più s'accorgeva che non era tanto questo che gli stava a cuore in quel momento, quanto qualcos'altro per cui non trovava parole. Insomma, alla presenza della vecchia suora si sentiva ancora nell'ambito del suo mondo, confermato nella morale alla quale aveva sempre (sia pur per approssimazione e con sforzo) cercato di modellarsi, ma il pensiero che lo rodeva lì nella corsia era un altro, era ancora la presenza di quel contadino e di suo figlio, che gli indicavano un territorio per lui sconosciuto.

La suora aveva scelto la corsia con un atto di libertà, aveva identificato – respingendo il resto del mondo – tutta se stessa in quella missione o milizia, eppure – anzi: proprio per questo – restava distinta dall'oggetto della sua missione, padrona di sé, felicemente libera. Invece il vecchio contadino non aveva scelto nulla, il legame che lo teneva stretto alla corsia non l'aveva voluto lui, la sua vita era altrove, sulle sue terre, ma faceva alla domenica il viaggio per veder masticare suo figlio.

Ora che il giovane idiota aveva terminato la sua lenta merenda, padre e figlio, seduti sempre ai lati del letto, tenevano tutti e due appoggiate sulle ginocchia le mani pesanti d'ossa e di vene, e le teste chinate per storto – sotto il cappello calato il padre, e il figlio a testa rapata come un coscritto – in modo di continuare a guardarsi con l'angolo dell'occhio.

Ecco, pensò Amerigo, quei due, così come sono, sono reciprocamente necessari.

E pensò: ecco, questo modo d'essere è l'amore.

E poi: l'umano arriva dove arriva l'amore; non ha confini se non quelli che gli diamo.

XIII

Veniva sera. Il «seggio distaccato» continuava a percorrere corsie: di donne, adesso. A raccogliere il voto dai letti, con quei paraventi da spostare ogni volta, non finiva mai. Queste malate, queste vecchie, alle volte ci stavano dieci minuti, un quarto d'ora. – Ha finito, signora? Possiamo venire a ritirare? – La poverina, di là del paravento, magari stava proprio agonizzando. – Ha chiuso le schede? Sì? – Tiravano via il paravento: la scheda era ancora lì spiegata, bianca; oppure con uno sgorbio, un ghirigoro.

Amerigo vigilava; la malata doveva restar sola dietro il paravento; quella storia della vista o delle mani impedite non attaccava più; ormai di far fare la crocetta alla monaca non se ne parlava nemmeno; Amerigo era inflessibile; chi non riusciva a far da sé, pazienza, non votava.

Dal momento in cui s'era sentito meno estraneo a quegli infelici, anche il rigore della sua mansione politica gli era divenuto meno estraneo. Si sarebbe detto che in quella prima corsia la ragnatela delle contraddizioni oggettive che lo teneva avviluppato in una specie di rassegnazione al peggio si fosse rotta, e adesso si sentiva lucido, come se ormai tutto gli fosse chiaro, e comprendesse cosa si doveva esigere dalla società e cosa invece non era dalla società che si poteva esigere, ma bisognava arrivarci di persona, se no niente.

Si sa come sono quei momenti in cui pare d'aver
capito tutto: magari un momento dopo si cerca di
definire quel che si è capito e tutto scappa. Forse in
lui non era cambiato gran che: le sue azioni e i loro
motivi, la difesa di se stesso eccetera, quello è difficile che cambi; si dice si dice ma a un certo punto
uno com'è è.

Però quello che gli pareva d'esser arrivato finalmente a capire era il suo rapporto con Lia, e tra
quei letti che parevano celare in una penombra in-
distinta tutto il male che può sfigurare dei corpi di
donna (erano in una sala a raggera sotto ampie volte, appena rischiarata dai riflessi di lampade velate
sul risvolto bianco dei lenzuoli – vi posavano braccia contratte, come rami rossi o gialli – e queste volte o raggi convergevano su di un pilastro, al cui
piede, da un letto, si levava un grido continuato e
squittente, d'una forma incuffiettata che doveva
essere – lui non volle guardare – una bambina, ma
ridotta solo al pulsare di quel grido, e tutto quel
che era disposto intorno – lo scenario e le ombre
che si sollevavano dai guanciali – sembrava fosse in
funzione di quel solo sforzo infantile di vivere, e il
coro dei gemiti e dell'ansimare da tutti i letti venis-
se di sostegno a quella voce quasi senza corpo),
Amerigo vedeva Lia, ma di Lia adesso era la tri-
stezza degli occhi grigi che vedeva, l'ombra di fuga
in fondo agli occhi che non si riusciva a stanare, a
consolare, il modo remissivo che avevano i capelli
d'andar giù sulle soffici spalle, ma come una crea-
tura selvatica, acquattata, che si divincolerà appena
la sfiori, e quel modo indifeso della punta del seno
di salire fuori dal braccio, tutto quello che in lei esi-
geva una protezione, una pietà, ma non si sapeva
comunicargliela, perché nel momento in cui pareva
d'esserci arrivato eccola girarsi con un risolino di
sfida, incupendo lo sguardo grigio ostile, la discesa

dei capelli si tendeva sulla schiena giù fino allo scatto dei fianchi, e l'alta gamba avanzava in un passo leggero come uno scrollarsi di dosso tutto quel che c'era prima. Ma adesso questo sogno a occhi aperti di Lia, questo genere d'amore come una reciproca e continua sfida o corrida o safari, non gli pareva più in contrasto con la presenza di quelle ombre ospedaliere: erano lacci dello stesso nodo o garbuglio in cui sono legate tra loro – dolorosamente, spesso (o sempre) – le persone. Anzi, per lo spazio d'un secondo (cioè per sempre) gli sembrò d'aver capito come nello stesso significato della parola amore potessero stare insieme una cosa del genere di quella sua con Lia e la muta visita domenicale al «Cottolengo» del contadino al figlio.

Era così eccitato da questa scoperta che non vedeva l'ora di parlarne con Lia, e – vista la porta aperta d'un ufficio – chiese a una suora il permesso di telefonare. Il numero di Lia era occupato. – Ritorno più tardi, le dispiace? Grazie, – e così cominciò a far la spola tra il «seggio distaccato» che si spostava tra i reparti, e il telefono che dava occupato, e sempre meno sapeva cosa avrebbe detto a Lia, perché adesso avrebbe voluto spiegarle tutto, delle elezioni, del «Cottolengo», delle persone che aveva visto lì, ma una suora andava e veniva in quell'ufficio e non gli sarebbe riuscito di fare lunghi discorsi. E ogni volta che sentiva il segnale di occupato, ne provava insieme contrarietà e sollievo, anche perché temeva che il discorso cadesse su quella questione là, e non voleva affrontare il problema; o meglio: voleva solo farle capire che – sebbene non potesse aver cambiato intenzione – pure nel considerare quell'intenzione era in un diverso stato d'animo.

Così, benché ormai sperando che il numero della ragazza continuasse a suonare occupato, non smetteva di chiamarlo, e quando a un tratto fu libero, cominciò a farle un discorso che non c'entrava niente sul fatto che lei stava sempre col telefono occupato.

Lia pure rispose con un discorso che non c'entrava niente, cioè tutto tra loro era come al solito, ma ad Amerigo adesso ciò che era come al solito pareva struggente di commozione, e non stava nemmeno attento alle parole, ma solo al loro suono, come a una musica.

Tese l'orecchio a un tratto. Lia diceva: – E poi non so che vestiti devo portare, se devo prendere un paletot da mezza stagione. Che tempo farà, ora, a Liverpool?

– Come? Non vai mica a Liverpool?

– Sì che ci vado. Domani. Parto domani.

– Ma cosa dici? Perché? – e Amerigo era allarmato su quel che poteva dire un viaggio a Liverpool, ma anche rassicurato perché forse una partenza escludeva i timori di prima, e anche disorientato perché Lia decideva sempre quel che meno ci si aspetta, e anche rassicurato perché Lia era sempre Lia.

– Lo sai: devo andare da mia zia a Liverpool.

– Ma avevi detto che non ci andavi.

– Ma tu mi hai detto: «vacci».

– Io? Quando?

– Ieri.

Ecco, siamo alle solite. – Uffa, avrò detto «vacci» come per dire: va' un po' al diavolo, non mi scocciare, sempre con questa storia di Liverpool, di tua zia, «vacci!» ti avrò detto, come ti posso dire ora: «vacci!» ma mica volendo dire di andarci!

Si arrabbiava, ma sapeva che l'amore con Lia era appunto l'arrabbiarsi così.

– Ma me l'hai detto! «Vacci!»

– Tu sei come quello che prendeva alla lettera ogni parola!

Lia saltò su risentita. – Chi è quello? Di chi parli? Cosa vuoi dire? – come se nella frase di Amerigo avesse colto qualcosa d'estremamente offensivo, e Amerigo non sapeva più come troncare la telefonata, ed era pieno d'irritazione e furia, e nello stesso tempo sapeva che c'era dentro, che riattaccare il telefono non significava nulla.

XIV

Gli ultimi voti da raccogliere erano di monache che non potevano lasciare il letto. Gli scrutatori avanzavano per lunghi dormitori, tra file di baldacchini con le tende bianche, drappeggiate su qualche letto a incorniciare una vecchia monaca appoggiata ai cuscini, che sporgeva dalle coltri vestita e acconciata di tutto punto, fino all'ala fresca d'amido della cuffia. L'architettura conventuale (forse della metà del secolo passato, ma come senza tempo), l'arredo, gli abiti, facevano una vista che doveva essere la stessa in un monastero del Seicento. Amerigo, in un posto del genere, era certo la prima volta che ci metteva piede. E in questi casi, un tipo come lui – tra il fascino storico, l'estetismo, il ricordo di libri famosi, l'interesse (proprio dei rivoluzionari) a come le istituzioni modellano il volto e l'anima delle civiltà – era capace di lasciarsi andare a un improvviso entusiasmo per il dormitorio delle monache, e lasciarsi prendere quasi dall'invidia, a nome delle società future, per un'immagine che, come questa sfilata di baldacchini bianchi, racchiudesse in sé tante cose: praticità, repressione, calma, imperio, esattezza, assurdità.

Invece, niente. Aveva attraversato un mondo che rifiutava la forma, e a ritrovarsi ora in mezzo a quest'armonia quasi fuori dal mondo, s'accorgeva che non gli importava. Era altro che cercava di fis-

sare ora, non le immagini del passato e del futuro.
Il passato (proprio per il fatto d'avere un'immagine
così compiuta nella quale non si poteva pensare di
cambiar nulla come in questo dormitorio) gli pareva una gran trappola. E il futuro, quando ci se ne
fa un'immagine (cioè lo si annette al passato), diventava una trappola esso pure.

Qui il votare procedeva più svelto. Si posavano
le schede su un vassoio, sopra le ginocchia della
monaca seduta a letto, si chiudevano le tendine
bianche del baldacchino, «Ha votato, reverenda?»,
si tiravano le tendine, si mettevano le schede nella
scatola. La bocca dell'alto letto era occupata dalla
montagna dei cuscini e dalla persona della vegliar-
da, sotto il grande pettorale bianco, con le ali della
cuffia che toccavano il cielo del baldacchino. Aspettando lì dietro la tenda, presidente segretario e
scrutatori sembravano più piccoli.

«Siamo come Cappuccetto rosso in visita alla
nonna malata, – pensò Amerigo. – Forse, aperta la
tendina, non troveremo più la nonna, ma il lupo».
E poi: «Ogni nonna malata è sempre un lupo».

XV

Erano di nuovo insieme, tutti i componenti del seggio nel locale della sezione. Non c'era più molto afflusso: ormai i nomi non spuntati, nell'elenco degli iscritti a votare, erano pochi. Il presidente, smessa la tensione nervosa, buttava fuori per reazione una giovialità altrettanto sussultante: – Ah, domani ancora, lo scrutinio, e poi anche questa è fatta! Poi: signori, il nostro dovere l'abbiamo compiuto! Ah, per quattro anni almeno non ci si pensa più!

– Si comincerà a pensarci allora, invece... – borbottò Amerigo, già nella previsione (ma si sbagliava) che la giornata che stavano vivendo sarebbe stata ricordata tra le date d'un'involuzione italiana (invece la famosa «legge-truffa» non passò, l'Italia andò avanti esprimendo sempre più la sua anima bifronte), d'un impietrimento mondiale (ma in tutto il mondo le cose che più parevano di pietra si muovevano), dando pace solo alle coscienze pigre come quel presidente di seggio, e soffocando il bisogno di cercare delle coscienze sveglie (invece ogni cosa si mostrò sempre più complessa, e fu sempre più difficile distinguere il positivo e il negativo all'interno d'ogni cosa positiva e negativa, e più necessario scartare le apparenze e cercare le essenze non provvisorie: poche e ancora incerte...)

Ora gli scrutatori facevano capannello attorno a uno degli ultimi che avevano votato, un omone col

berretto. Era senza mani, dalla nascita: due mon-
cherini cilindrici gli uscivano dalle maniche, ma
stringendoli uno all'altro sapeva afferrare e mano-
vrare oggetti, anche sottili (la matita, un foglio di
carta; difatti aveva votato da solo, piegato da solo
le schede) come nella presa di due enormi dita.
– Tutto: anche accendermi una sigaretta, – diceva
l'omone, e con movimenti svelti prendeva il pacchetto di tasca, lo portava alla bocca per estrarne la
sigaretta, stringeva il pacchetto dei cerini sotto l'a-
scella, accendeva, tirava una boccata, impassibile.

Gli erano tutti intorno, a chiedergli come faceva,
come aveva imparato. L'uomo rispondeva brusco:
aveva una grossa faccia sanguigna da operaio anziano, ferma, senza espressione. – Io so fare tutto,
– diceva. – Ho cinquant'anni. Sono cresciuto al
«Cottolengo» –. Parlava a mento alto, con una dura
aria quasi di sfida. Amerigo pensò: l'uomo trionfa
anche delle maligne mutazioni biologiche; e riconosceva nelle fattezze dell'uomo, nel suo vestiario e
atteggiamento, i tratti che contraddistinguono l'u-
manità operaia, anch'essa orbata – il simbolo e la
lettera – di qualcosa della sua completezza, eppure
atta ad autocostruirsi, ad affermare la parte decisiva dell'homo faber.

– Io so fare tutti i lavori da me, – diceva l'omone
col berretto. – Sono le suore che mi hanno insegnato. Qui al «Cottolengo» facciamo tutti i lavori da
noi. Le officine e tutto. Siamo come una città. Io ho
sempre vissuto dentro il «Cottolengo». Non ci
manca niente. Le suore non ci fanno mancare
niente.

Era sicuro e impenetrabile: in quella specie di
sussiego della sua forza, e della sua adesione a un
ordine che aveva fatto di lui quello che era. La città
che moltiplicherà le mani dell'uomo, si chiedeva
Amerigo, sarà già la città dell'uomo intero? O l'ho-

mo faber vale proprio in quanto non considererà
mai abbastanza raggiunta la sua interezza?

– Gli vuol bene, eh, alle suore? – domandò all'o-
mone la scrutatrice con la blusa bianca, ansiosa di
sentire una parola consolante, al termine di quella
giornata.

L'uomo continuava a rispondere secco, quasi
ostile, come il buon cittadino delle civiltà produtti-
ve (Amerigo pensava all'uno e all'altro dei due
grandi paesi). – Grazie alle suore sono riuscito a
imparare. Io senza le suore che mi aiutavano sarei
niente. Ora io posso fare tutto. Non si può dire
niente contro le suore. Come le suore non c'è nessuno.

La città dell'homo faber, pensò Amerigo, rischia
sempre di scambiare le sue istituzioni per il fuoco
segreto senza il quale le città non si fondano né le
ruote delle macchine vengono messe in moto; e nel
difendere le istituzioni, senza accorgersene, può lasciar spegnere il fuoco.

S'avvicinò alla finestra. Un poco di tramonto ros-
seggiava tra gli edifici tristi. Il sole era già andato
ma restava un bagliore dietro il profilo dei tetti e
degli spigoli, e apriva nei cortili le prospettive di
una città mai vista.

Donne nane passavano in cortile spingendo una
carriola di fascine. Il carico pesava. Venne un'altra,
grande come una gigantessa, e lo spinse, quasi di
corsa, e rise, e tutte risero. Un'altra, pure grande,
venne spazzando, con una scopa di saggina. Una
grassa grassa spingeva per le stanghe alte un reci-
piente-carretto, su ruote di bicicletta, forse per tra-
sportare la minestra. Anche l'ultima città dell'im-
perfezione ha la sua ora perfetta, pensò lo scrutatore, l'ora, l'attimo, in cui in ogni città c'è la Città.

(1953-1963)

Indice

La giornata d'uno scrutatore

Opere di Italo Calvino
in edizione Oscar

«La giornata d'uno scrutatore»
di Italo Calvino
Oscar opere di Italo Calvino
Arnoldo Mondadori Editore

Questo volume è stato stampato
presso Mondadori Printing S.p.A.
Stabilimento NSM - Cles (TN)
Stampato in Italia. Printed in Italy